鳳凰養成學系列 1

學校沒教的12堂課

鄭春悅◎著
Scarlett Cheng

博客思出版社

活一天，為兒童教育盡一天心力

蔣方智怡

從事幼教工作25年，之所以始終如一致力於幼教工作，主要是因為我明白，一個人終其一生，是否能夠過得快樂幸福，主要決定於幼年教育，孩子來到世上是一張白紙，給予孩子什麼樣的童年，就決定了這孩子有怎麼樣的一生。

人的意識模式決定了行為模式，而行為模式又決定了人生的幸與不幸。沒有對的思維，就沒有對的行為，沒有對的行為，就沒有對的人生，為此，我願意盡一己綿薄之力，為國家未來主人翁的健全人格，及未來健全社會做點事，於是致力於幼教工作。

春悅是我多年的老朋友，日前突然來電囑我為她的新書《學校沒教的十二堂課》寫序，唯恐自己才識不足，本擬推卻，奈不住她再三致意，於是答應先拜讀她的大作。沒想到試讀之後不能自已，竟然一口氣讀完本書。並立刻依其所囑作序。

這本書講的概念是幸福人生的大架構，依循書中的架構一則可以養成有格局、有視野、有心胸、有擔當的人才；再則也能培育出品性端正，有為有守有品質的公民，更難能可貴的是，如此恢弘的人生藍圖，竟然都是從日常生活中的小事談起，從小事中逐步踏實、踏穩人生的道路，這樣的內容和父親從小給我的庭訓，不謀而合；父親從小教育我們做人做事的道理，以身教作則、用心關愛我們開始，訓練我們獨立思考的能力、做為一個人應具備的良心與人格、尊重別人從尊重自己開始……凡此種種，都和春悅這本書的內容基本架構相同，看讀此書，再次感受到父親給我們深刻的愛，書裡的點點滴滴，彷彿此刻更能體會，父親當時教養我們的苦心，這些細節深深地打動了我。本書能把父親大部份的教育理念，如此清楚且完整的做一個表述。且基於和春悅有相同理念，想為國家未來主人翁做點事，於是我樂為這本《學校沒教的十二堂課》書寫序。

書的出版，只是推廣一個對的教育理念的開始，真正要做的事，相信接續下來的各種難題，還等著春悅和大家一起去挑戰。兒童教育的巨輪必定很難推動，但不管做得多或少，那怕傾盡心力，只有一點點功效，只影響一個人，也要期許活一天，為兒童教育盡一天心力。是為序。

蔣方智怡序於溪水旁關懷單親家庭協會

蔣方智怡女士與作者合影

蔣方智怡女士父親之墨寶

推手的起心動念

傅家賢

於 2013 年的歲末，在一個商業會晤場合中，無意間與鄭女士閒聊到她對於整個現今兩岸三地教育的失衡，她訴說著這些年來遊走各國及大陸，看到了許多華人在國際間所鬧的笑話及許多不合宜的表現，激起了鄭女士想開深層的禮儀教養課程，來教導現在的孩子學習，如何從內而外的表現出生活上的應對進退，變成紳士淑女態度，而讓長期參與學校事務，並擔任過數屆家長會長的我，聽到鄭姐娓娓道出她的想法，深受感動，也想積極的為鄭姐的想法盡一分心力，於是找了對行銷有想法的范語芯執行長，參與研商如何落實這樣善的理念並傳播出去。討論之餘，得知鄭姐有出過三本書的經驗，才敦請鄭姐執筆，為幫助父母傳授孩子品格教養寫書出版，藉此宣揚理念。

為了教育，我們三人有共同的熱誠和見解，而深知每位家長為了自己的孩子，付出太多太多的精力與時間，但其中仍有許多學校沒有教導的事物，須要父母在生活中多些用心，所以我們希望藉由出書傳播思想的力量，來播下小小的種子；透過這本書能影響多少父母，我們不清楚，但是，認真去做就對了！只要有一個父母確實地去執行、去建立孩子對的觀念、去要求孩子的行為，那麼就與成功接近。我能貢獻微薄心力，奔走連繫找到博客思出版社，請了張主編幫忙，鄭姐卻為了這書，蹲家苦思，為了完善本書教育內容，遣詞用字間死了好多腦細胞，現在終於要出書了，真是令人興奮。

夏日的午後，桌上的幾杯淡茶，我們在新竹交通大學育成中心，討論著對書出版後推展教學的想法，更希望藉由鄭姐的出書能拋磚引玉，讓父母更重視孩子的內在養成，我們樂見其成，陽光透過微風樹影映入室內，我想三人的心都是愉悅的，這是個有意義的 2014 年夏天。

藍銅胜肽　董事長　傅家賢　伏筆

讓好的教育理念普及神州華夏

賀光輝

得知鄭姐已陸續出版三、四本書，而我卻沒能好好拜讀任一本，近年來一直在事業上到處奔波，一年中將近一百天花在飛機上或在內地的交通旅程上，深知大陸在教養兒童方面，優質書籍及教材特別欠缺，所以能拜讀鄭姐這本內容豐厚、實用的《鳳凰養成學——學校沒教的12堂課》，感到很開心。

回想2011年剛到北京認識了鄭姐，當時就邀請鄭姐擔任本人幼稚園開幕佳賓，而聯合國教科文亞太主席、中國當代教育家陶西平教授也率團出席與會，經過這一天的交流，讓我見識到鄭姐國際禮儀風範與臺上講演魅力，除羡慕外，就是欣賞。

初看完這本書稿後，讓我迫不及待希望我的學生，也就是幼兒園園長們，能趕快人手一書，並可應用及實踐在教學上；〈特別是愛還是礙〉這個章節，讓我有許多感觸。中國一胎化政策跟隔代教養的話題上，所衍生的問題特別嚴重；另從說話溝通到幽默言辭這章節，也給了家長很好的想法與建議；提到雷根在槍擊事件當時，跟他夫人及身邊照護人員說：「很抱歉！剛剛子彈經過的時候，我沒有來得及閃開！」，領導人幽默的智慧展露無遺！

咱家很幸運有三位公子，一個念大一、再來是小六、最小的念大班；老二與老三都在寧廈自治區省會銀川就讀，三個孩子都很優秀，唯一能否成為可不可以上檯面的人物，就得看是不是有落實鄭姐書中所說的，這也是我要努力的方向！

綜觀來說，鄭姐擁有音樂家、教育家、藝術家、文學家、慈善義工、主持人等充滿了能量與專業的多種角色的經歷，她的感染力如同正能量般的無私付出！

目前大陸有20萬所幼稚園、兩億的兒童，很需要就書中內容及所提教養話題好好和父母一起來討論，如何從孩子在家、學校、休閒、出國旅遊，到人與社會的互動……等等，說了許多的案例跟細節都非常實用，都是生活中常會遇到的情況，讓我們這些終日忙碌的父母親，有了親子互動參考的準則與依循的方法；而對於從事教學工作的老師們，則可以應用書中每個單元裡，善用觀念態度的建立以及專業知識的提供，若能及知及行，我想收穫一定很大。

最近幫教育部在寧夏幼稚園園長的國培計畫上講課，席間有位教授的弟弟，聽到我主講的學前幼兒相關課題，他先前報名參加了一場三天五萬元人民幣（約台幣十五萬元）的專業經理人課程，期間有兩天課程跟我的培訓講課撞期，但他卻選擇了我的課程，從這點上看來，大陸的企業家是越來越重視孩子的教育培養，為了孩子，金錢跟事業都可以先擱置一旁，對現今的社會，這是個好的方向。

鄭姐願投身一己之力，以其擁有這麼好的經驗與資源，與社會大眾分享、希望能多辦一些的講座，讓更多人瞭解教育的重要！更期待與鄭姐並肩作戰，讓好的教育理念普及神州華夏！

幼發拉底教育集團　董事長　賀光輝拜讀于北京吉利大學

再造禮儀之邦

孫嘉辰

提到中國，人們常說四個字：「禮儀之邦」。這四字所蘊含的文化與社會價值千百年來一直閃熠光芒，影響世代。其文化需要傳承，傳承需要紐帶，本書正是這樣一條不可多得的高效紐帶。

嘉辰文化產業集團　董事長　孫嘉辰

為生活而準備

韋壯春

近些年來，兒童教育同業朋友赴臺灣考察與學習逐漸成為一種風氣。兩地歷經幾十年在不同系統下發展起來的兒童教育，包括相關聯的親職及親子教育，臺灣有許多經驗值得我們學習和借鑒。

認識春悅姐是幾年前在南寧南湖邊一茶館的露臺上，其時我剛剛舉辦集團旗下的第一所幼稚園，從她那裡我聽到關於家庭生活的親職、親子教育在孩子教育當中的份量，促使有了在兒童教育體系中引入家長學堂的初步構思。

收到春悅姐發來的書稿，細讀起來有了基本上的收穫。這是一本可供借鑒於日常家庭教育實踐的、旨在培養紳士、淑女的書。書中 12 堂課所包含的禮儀、品格、國際觀等現代文明人的親子教育內容，無疑可以成為父母育兒的參照。

追根究底，春悅姐的《鳳凰養成學》一書，內容主軸歸納出「自尊尊人」四個字。這與維伯教育正在踐行的兒童教育與家庭教育理念上有著很高的契合度。

教養從愛與心開始……作為一對兒女的父親，也作為一個兒童教育的實踐者，有如此歸納總結好的經驗可學，當是一件十分令人喜悅的事。

維伯教育集團　總裁　韋壯春　伏筆　二〇一四年十月六日

每個孩子都是鑽石

鄭春悅

「鳳凰養成學1—學校沒教的十二堂課」的寫作過程，歷經喪父之痛，和雙眼白內障手術……，如今終於完成了！這是我多年來的心願，希望將自己的一些所見所聞化為文字，分享給普天下的家長；讓天下瑰寶得以好好栽培、琢磨，由內而外散發光芒。

每個孩子都是鑽石，並且是世界上獨一二的鑽石，專家可以經由訓練造就，唯有孩子的獨特性和唯一性的天份無法被取代。孩子是尊者，孩子是天才，孩子是神的創舉，對於天份，我們實在沒有能力教導什麼，但該如何引導孩子，如何協助孩子，如何輔佐孩子，如何成就孩子？讓他們發揮他們的天份，是天下父母的功課。

其實，培養一位能飛上枝頭當「鳳凰」的孩子，必須要先有「很想當鳳凰的爸爸、媽媽」。孩子的行為學習，有百分之八十來自父母。如果，花了大錢為孩子聘請禮儀老師，學習當一個富而好禮的現代文明人；但是回到家裡，大人卻沒有相關的素養，也沒有配合教師指導的重點，將所學運用於日常生活中，一切行為依舊回歸原樣，孩子再多的學習也將枉然，想教養出鳳凰孩子前，先要有鳳凰觀念及鳳凰言行的父母。

誠如眾所周知，一個人光具備學校學習的專業是不夠的。愛因斯坦曾倡言：讓學生獲得各種價值的了解和感受，是很重要的；人須能真實的感受事物的美好和道德的良善，否則單單只有專業知識，只會使他成為一隻訓練有素的狗，而不是一個身心均衡發展的人。知識與心靈須融合成一個人的內涵與素養，而觀念的建立，則是從生活中的小事開始實踐，這也是本書想提供給天下教育者的一點想法。

總括本書內容，最重要想傳達的觀念，就是「自尊尊人」、「同理心」、「責任感」、「心胸與視野」等等概念，這些其實是現今社會缺乏的人文精神。中華民族一直以「禮儀之邦」自許，尤其在邁向國際化的現代中國，「禮」更是國民生活中不可或缺的一環。現在的世界已經是一個「地球村」了，每個人都將成為世界人，各國、各地區的人們，有更多機會打破地域疆界，相互學習、合作、共事，而深化參與國際事物更是必然的趨勢。因此，如何培養孩子成為知禮、好禮的真正現代「文明人」，擁有人文涵養，知書達禮，確實是現代家長非常重要的任務。所以，書中藉著生活中的小故事，以及條列式的提醒與要則，希望能對重視子女教育和未來發展的現代家長有所助益。

最後，藉本書完成的時刻，感謝博客思出版社蔡金玲、黃文馨主編及美編諶家玲幫忙稿件的編輯，感謝范語芯執行長為我尋找不足的資料，也要感謝藍銅胜肽生技股份有限公司傳家賢董事長全力的協助；最要感謝的是，為這本書做序的蔣方智怡女士，以其二十五年的幼兒教育經驗，及充沛的國際觀，為本書提供珍貴的見解。

當然，更要感謝每位閱讀這本書的家長們，願你們都「開卷有益」；也願二十一世紀的華人子弟，人人都是地球村各個角落，有好的觀念，做對的事，受人尊敬、受人喜愛的「閃耀鳳凰」！

本書作者鄭春悅序於二〇一四年八月

目錄 Contents

使人高貴的是人的品格。

二十世紀英國文學家、詩人——勞倫斯

三歲定終身，鳳凰養成有法則

在分享這本書之前，我要先向您致賀，因爲能夠擁有天地間的至寶，並且結上親子緣分，這是神所賜的恩典。此外，我也要向您獻上敬意，因爲生與養都不是一件容易的事，而您不但給予至寶最好的照顧，也願意藉由本書一起探討，如何提升孩子能力的方法，足以顯見您的用心與智慧。

在各類親子教養書籍滿街都是的時候，何以我也「趕流行」呢？這不僅是因爲這些年走訪各地，看了許多教育現象後的體悟，也希望能從這些所見所感中，整理出一本實用的親子教育手冊，朝著更美好的親子關係前進。

中國人重視「家庭教育」，看到一個人行爲得宜，會讚賞他的「家教好」；遇到行爲舉止失當的，心中也會感嘆這個人的「家庭教育失敗」。什麼是「有家教」？想要一個孩子有好行爲、好品格，是不是請位「家教」來教教規矩就可以了呢？

其實，一個人的行爲舉止，並非單純的只受到「家庭教育」的影響。成長過程中所接觸的人、事、物和參加過的團體，都會影響一個人的行爲舉止和思想。有時甚至比家庭教育的影響更爲深遠。因此，我們只是希望提醒爸爸媽媽們，一起來「正確的」關心您的寶貝。在孩子每個成長過程中，充分了解他們，並影響他們。父母與子女間的關愛越深，越擔心孩子長大離開父母，開始接觸外面的世界後，受到外界不良的影響。

可喜可賀的是，我們的社會越來越重視品格教育和親子關係了。這幾年，陸陸續續有一些培訓學校、社會團體邀請我去演講或上一些親子禮儀課程。家長們聽演講或讓孩子上課的動機，不外乎希望孩子除了在正規學校學習知識及技能外，更希望補充學校沒教的那些事，讓孩子有深厚的涵養，兼具有禮貌、有好行為、好品格和寬闊視野的頂尖鳳凰。

事實上，在中國成爲世界第二大經濟體後，造就了許多的富豪、土豪、富二代等，人們的生活雖然比過去更加富裕，然而滿滿的財富，如果沒有更深的內在涵養，以及更廣闊的視野來相襯，就只會像「暴發戶」一樣，炫耀自己的財富，卻無法帶來更多的幸福。

為滿足這些望子成龍、望女成鳳的家長，市面上已有很多專屬金字塔頂端的書籍和課程出現。這些書籍和課程的編排，大多針對富爸爸、富媽媽的期望而設計。比如：教人「如何品評紅酒」、「如何開飛機？」甚至還有教女人「如何成為名媛」、「如何嫁給富二代」的秘笈課程。期望藉著這些課程的學習，能讓自己的孩子真正擠上所謂的「上流社會」。

事實上，現在交通發達，加上網路資訊豐富，世界早已是一個「地球村」。任何國家的交流，從政府到民間都很頻繁，了解如何品紅酒、學會如何開飛機？都是與國際友人交流的好媒介。然而，若沒有真正的內在涵養作為基礎，這些表象的學習，不僅誤導學習者的觀念，也會導致他們在外的行為，被貼上「炫富」標籤而不自知。

學做名媛也是如此。真正的氣質表現、應對進退，不是僅藉著化妝、珠寶或穿著名牌服飾學得了的。一個穿著時髦、打扮入時的名媛，不開口時，是眾人眼光聚集的焦點，舉手投足的架勢有如當紅的明星般眩人眼目；但，若有一天，意外看到私底下的她，翹著腿吃飯，說出來的話粗俗不堪時，不知道您對她的幻夢是否會破滅呢？所以一位讓眾人折服的紳士、淑女，應是來自於由內而外散發的氣質，搭配適合的言行舉止與外在裝扮才能成就的。

養成一個真正的紳士、淑女，不可能一蹴即成，而是要點點滴滴地積累。那麼究竟要如何養成紳士或淑女，做枝頭上真正的鳳凰呢？所謂「三歲定終身。」一切合於紳士、淑女標準的生活禮儀、習慣、品格，開闊的視野……，一定得從孩童時期就開始塑造。從小耳濡目染，把內在涵養培養出來，將生活中對人、對己的尊重、關懷和愛，融合於每時每刻的生活習慣中，讓孩子由內而外散發出高雅的氣質，養成這樣人品的內涵，才能養成有根有基的真正鳳凰。

現代人，孩子生得少，因此每對父母都把自己的子女當成世界唯一的瑰寶，無不期望孩子長大後能成龍、成鳳。但學校教的只是一些學業知識，對於生活品質的教養相對薄弱，更缺乏氣質養成的教育內容，很難滿足父母望子成龍、望女成鳳的期待——而這正是我起心動念想將自己的一些經驗，分享給現代父母做爲教養孩子的參考。

世界首富比爾蓋茲之所以讓人敬重，並非只是他的財富，而是他擁有一顆仁慈的心，以及高尚的品格。全球的「新首富」——墨西哥的電信大亨卡洛斯・斯利姆・赫魯 (Carlos Slim Helu)，即便富可敵國，生活卻十分勤儉，住的房子和普通上班族的房子差不多，家裡的裝潢也樸實無華……。這些「首富」的共通點都是不炫富，並且將他們的財富以不同的方式回饋社會，讓自己的生命活得更豐富。因爲，心靈的富有，比外在物質的享受更有意義。

為了與您分享這些「鳳凰」養成的觀念，我嘗試從教育專家的理論著手，輔以自身的經驗與故事，希望本書能成為您送給孩子一生受用的禮物。

第一課：人格品德培育—道德倫理

使人高貴的是人的品格。

二十世紀英國文學家、詩人——勞倫斯

一、教養，從愛與心開始！

全世界最困難的工作是甚麼？應該是不支薪且全年無休的父母吧！而其中最不容易掌握的，就是教養孩子。

市面上的每一本教養書，看起來都是教育孩子的有效良方，但若是照著書上寫的做，就會發現教育孩子並不是簡單的一回事。因爲每個孩子都是獨一無二的個體，一百個人中必定有一百種特性，人各有異，世界上沒有一套教育大綱適用於每一個人，

在所有教養法則中，
「唯一」且「最重要」的中心法則
就是「唯心與愛而已」。

因爲擬訂教育大綱的都是人：一個人，一些人，或一群人定訂出來的教本，教育家們取了大多數人的概數來製定教育大綱，對於個別的獨特性，卻不能提供可以完全適用的法則，施教者不同，受教者不同，結果就不同，甚至每個孩子每一天的身心轉變，都會讓親子間的互動產生巨大變化，而某些持續性的變化，可能影響孩子一輩子。

既然教養孩子這麼困難，怎麼還能歸納得出道理來呢？本書所提供的內容，主要是提供觀念上的參考。其次是生活中，必須注意的前因後果，讓父母知道教育孩子的想法、做法，與決定對孩子教育的方式。

在所有教養法則中，「唯一」且「最重要」的中心法則就是「唯心與愛而已」。所有的教育者，都要以「心」與「愛」爲出發點。這裡的「心」與「愛」，包含父母愛子女的心、了解子女的心，更包括親子間彼此坦誠對待的交心。一家人的情感有了互愛互信穩固的基礎，同心同德，任何想法都能清楚傳達給彼此，以愛爲基礎做爲解決一切問題的基石。

中國家庭強調「家和萬事興」，其基礎在於家庭倫理是否穩固。傳統的三綱五常有人認爲不符現代需求，「君爲臣綱、父爲子綱、夫爲妻綱」的關係顯得封建又男權，但若是採用其中的優點倫理規範，親子間的關係應該比較不會失序。尤其「四維」、「八德」的精神更是重要的人倫指標，如果能將「父子慈孝、夫妻和合」的核心精神：

「慈孝、和合」，做爲現代人格的養育基礎，不僅不致落伍，甚至可以讓彼此之間關係更和協，也能讓一個人身心安頓、樂觀積極，往正向的人生前進。

當孩子小的時候，父母總期待兒女快些長大；但兒女真的大了，卻又感嘆時光飛逝，小孩怎麼一下就翅膀硬了？教養的擔子如此之重，掌握每個進程分外重要。

或許孩子每一年的外表看起來變化不大，可是其內在的養成，每天都會有所改變，將來成爲一個怎樣的人？時時刻刻都因環境給予的條件不同而產生不同的變化。在此，我將孩子的成長階段參考兒童教育專家的說法，分爲三個階段：

一、出生到六歲：需要大量的愛與安全感。

二、六歲到十四歲：建立能力，健全人格。

三、十四歲至成人：逐步社會化的過程，學習承擔與自我超越。

這些成長的進程如果沒有掌握教養重點，會有多大的影響呢？

有時，我們會說某某人幼稚、不懂得尊重他人、無法獨立自主、懦弱退卻……，造就一個人有各種不好的人格特質，就是因爲在孩子的每個進程中，沒有踏實的學習到每一個環節，生理年齡漸漸成長，但孩子的內在素質卻來不及成長，這樣的人在同儕中、乃至在未來的人生路上，將會遇到許多困難與挫折，也可能在人際關係上出現問題，更可能迷失方向，耽誤一生的幸福。

為此，關係著一個人一生的快樂幸福，父母的教養更需要不厭其煩地從「心」與「愛」開始，以此做為教育的基石，無論孩子在什麼樣的情況下成長，只要他能確信並感受，任何時刻都有人用「心與愛」支持他，他就能無懼且穩健的掌握方向與重點，即使不能成為頂尖的鳳凰，也可以積極樂觀快樂地過一生。

二、出生到六歲：建立愛的能力

愛與被愛都是一種能力，這種能力在人生過程中，時時發揮著各種力量，正向愛力量能讓人快樂幸福，負面的愛也能對人造成傷害，而愛的能力卻須從小養成。

胎兒在母親肚子裡既安全又溫暖的環境下，孕育了十個月才呱呱落地。當嬰兒的第一聲哭聲響起時，代表他已經離開那個最溫暖安全的母腹，開始自己人生的旅程。剛出生的嬰孩，對這個陌生的世界充滿惶恐。在這個階段，孩子需要大量的愛，還要經常有肢體褓抱的安全感，讓孩子與父母相處的記憶是溫馨快樂的。

人的能力養成，有些是來自記憶裡的經驗，而觸覺經驗尤其會影響一個人終身的行爲模式。一個在孩童時期時時被父母擁抱，時時被父母呵護，對父母的愛堅信不移的人，大多數都有足夠的愛與安全感，因爲被堅定不移地愛過，長大後才有「愛人」的能力，所以當孩子出現問題時，不要立即責備，應先擁抱孩子，再用「心與愛」詢問事件的原因。

愛與被愛是直接感受的問題，這感受會比講任何道理都直接明白。一個人就因爲「被愛」的夠多，才有足夠的能量愛人。就如同存款一般，當孩子從爸爸媽媽那裡得到豐富的愛，自己身上就累積了足夠的「愛的能量」和「安全感」，讓他長大後才有足夠的能力應付任何艱鉅的挑戰與困難。在親子關係上，也會因爲父母在孩子身上，已經存了一大筆「愛的存款」，即便日後在教養上產生了摩擦，也能因爲有了豐厚的愛，能輕易消弭問題，理解一切。

零歲到六歲孩子的教養重責，大多落在母親身上，尤其餵養工作幾乎皆由母親擔任，因此親子的連結更爲緊密。至於父親，當然也不能缺席。父親身強體壯，可以陪孩子玩耍，在親子互動中，讓孩子感受父親陽剛的一面，那是溫柔的母親無法提供給孩子的養分。有些教育專家甚至提醒，同性的父母應成爲同性子女的榜樣，而異性的父母則需要經常給予子女肯定。也就是說爸爸是兒子的學習榜樣，媽媽扮演的應該是兒子的「支持者」。反之，如果是女兒，她的學習榜樣就是母親了，父親則要經常給予女兒肯定及鼓勵。在此法則之下，孩子從小能得到正確的學習榜樣，又能得到異性父母的鼓勵，建立他們的安全感與成就感。在成長的過程中，必然能踏出穩健的每一步，不至失腳。父親和母親對孩子，雖然任務不同，但唯一共同要做的就是：用心、用愛，親密的擁抱孩子，與孩子互動。如此，孩子和父母的親密關係保留著起初的「愛」，彼此就不容易產生距離。

一般人相信「三歲定終身」，也認爲「棒下出孝子」，但是現代社會強調「愛的教育」，父母該如何拿捏教養的分寸？究竟是嚴格管教好？還是放任自由好？在建立「愛的關係」階段時期，太過嚴格的規定，可能會讓思考力未成熟的孩子，養成了取悅大人的心理，而失去自主性的建立。甚至爲取悅大人，養成陽奉陰違的壞習性。因爲這時期的孩子，特別渴求愛，希望得到大人的認同，但他們對了解行爲建立或改變的用意，還沒有判斷力，這時候，父母對孩子的管教太過嚴刻，反而使孩子困惑。對於這時期孩子的偏差行爲，父母應當在矯正的同時，讓孩子知道：所有管教都是因爲爸爸、媽媽愛他的緣故。

父母的情緒，對這個階段孩子的影響非常大。父母情緒穩定，孩子就從當中感受到「平安」，就能建立「安全感」。父母情緒起伏大，孩子感受到的是浮躁、波動，當然就會讓孩子經常處於不安的狀態。一對不快樂的父母，很難養出快樂的孩子。特別是父母嚴重陷入低落的情緒中，疏於關注孩子的心理反應，幼小的孩子無法理解父母情緒低落的原由，只感受他的世界中最重要的人「不快樂」的情緒，孩子會因爲擔心，而開心不起來。

愛的能力，必須從小建立，而且必須由家人給予。錯失了零到六歲這個階段，就難以植入心中，孩子對於愛的渴望也無法彌補了。因此，建議父母每天花些時間與孩子擁抱和面對面互動，就算只是短暫的一個擁抱、輕撫或是哼一首歌曲，都對親子之間愛的養成是有效益的，而愛也會在彼此的互動中建立。

愛的能力是人格養成非常重要的基礎，除了心靈層面，與孩童的腦部發育也有關聯。因爲當孩子快樂的時候，生長激素就會在體內流動；相反的，如果長期不開心，孩子也會產生壓力，醫學上稱爲「皮質醇」(Cortisol)，會造成孩子腦部發展遲緩，所以建立親子間互信互愛的基礎是非常重要的。

三、六歲到十四歲：誠信是人格的名片

在這個階段，孩子越來越希望得到父母、師長的肯定，爲了達到目的，他們會用盡自身所能想到的方法和技巧。因此，這個階段最重要的就是建立正確的人格，避免根植錯誤的觀念。

在所有的道德信條中，最關鍵的人格特質是「誠信」觀念養成。家人之間要有誠信，才能「有愛無礙」；與他人往來，「誠信」是最基本的要件。一個具備了誠信人格特質、做事說話講誠信的人，會讓周邊的人感覺誠懇、正直、坦率和信任，和這樣的人相處也覺得踏實。好的信用會建立好的名聲；好的名聲會建立好的社會關係，這是必然的。

如何養成孩子的人格特質，讓孩子擁有「誠信」的好品格？儘管世界上言行完全一致的人極其稀少，一旦具備了，這些人會贏得別人最高的尊敬。想贏得別人的尊敬，「誠信」是重要的誡命。每個人心中都有一把尺，會衡量其他人的態度和行事，藉此評斷人的優劣。人的大腦記憶力沒有好到凡事都記得，但心和感官記憶卻是很難忘記。也就是說，我們很難記得一個人名片上所有的頭銜或細節，但心裡卻不會忘記這個人

是一個怎麼樣的人。沒人喜歡被騙，曾經被騙過，就會牢牢記住這個被騙的經驗，因此說謊者「騙子」的形象也將狠狠的烙印在受騙者的心底，騙子的名片更會被標記且牢牢記住，從此很難再被人相信了。

爸爸、媽媽要時時告訴孩子：「當你要許下承諾時，請在腦子裡想清楚」，那怕是件很小的事，小到與朋友相約吃飯，都應該講求信用。如果答應請朋友吃飯，時間到了又找理由推拖不肯前往，在朋友心中，誠信就已經打了折扣。很多事情都是由小處著眼，從小地方就要做到講求信用，否則，一點小事也會養成習慣，習慣一旦養成，不小心就烙了個「騙子」的壞名聲，而難以挽回信用了。

父母從家庭教育開始，就要讓孩子養成在任何約定前，評估自己做不做得到？能做到的事，才能答應別人，假如做不到，不要隨便給人承諾。父母一定要在孩子初次犯下違背誠信的事件時，馬上點出錯誤，並且告訴孩子，慎重思考自己每一句開口說的話有多麼重要，確認在人與人的交往過程中，自己說的話能不能被別人信任？是不是能被當作金玉良言？或是被人當成是虛妄之詞？答案都是由自己開口是否慎重，是否謹言慎行來決定。

養成孩子的誠信觀念，除了教孩子怎麼做之外，父母的身教更是重要，父母本身的言行舉止，永遠是孩子模仿的依據。很多時候，孩子對父母的請求，父母無法做到，卻不正面回絕，而是以拖延爲戰術。譬如：孩子請爸爸、媽媽帶他到香港迪士尼樂園玩。爸爸、媽媽可能考慮時間和花費，一時無法滿足孩子的需求，又不忍拒絕。於是，就告訴孩子，明年再去。等到明年，孩子好不容易盼到暑假，但是爸爸、媽媽又因爲其他事情而黃牛了。幾次下來，孩子會認爲爸爸、媽媽都在「騙人」。以後，孩子也不知不覺學會用這種模式和別人處理事情。

父母具備了什麼人格特質，怎麼做人？怎麼做事？正無時無刻的教導著自己的孩子，所以要教會孩子成爲一個誠信的人之前，爸爸媽媽們得隨時留意，不要在孩子面前留下不守信用的印象。

關於「誠信」的好品格，必須從小培養起，例如：

學校午餐時間，七歲的小賓賓平常就很愛炫耀，他正拿著一枝爸爸給的四色原子筆，在同學小維的眼前晃來晃去：「你看喔！這枝筆可以寫出四種顏色耶，我寫給你看……，你看、你看！這枝筆上面還有一隻可愛的無尾熊，我爸爸一共給我兩枝，我家裡還有一枝。」小維說：「我也好喜歡無尾熊，你可以送我一枝嗎？我拿小鴨筆跟你交換，好不好？」小賓賓遲疑著：「這個嘛……我想想看，嗯……我不要，我只有兩枝，我不想給你……」小維很失望：「不要這樣啦！我很喜歡無尾熊，反正你有兩枝，我上次請你吃霜淇淋你忘了嗎？」小賓賓有點爲難：「好吧！那下午你來我家做功課時，我拿給你。」

小維依約到賓賓家寫功課，且開口跟他要這支筆，但賓賓捨不得，又反悔了：「我不想換了。」小維很生氣：「怎麼可以這樣？你答應要跟我換的，我的小鴨筆在這裡，都帶過來了。」兩個孩子爭執聲吵到賓賓的媽媽，她走過來對賓賓說：「我剛聽到了，你既然已經說過要跟小維交換，怎麼可以說話不算話呢？如果你這樣沒信用，以後誰會喜歡跟你做朋友？趕緊和小維交換筆吧！」

承諾就是承諾，爸媽不要以爲孩童間的對話都是戲言，不用當真。當你的孩子經常對同儕隨便說說，經常食言，那他在同儕之間「信用」帳戶的存款將越來越少，漸漸地會沒有人敢相信他說的話，甚至被朋友標示爲沒有誠信的人，而不願和他往來。

大人之間不講信用的例子不少，它挑戰了人與人之間的信任關係。若發生在職場上，可能造成公司莫大的損失。

有一家公司最優秀的兩名採購員，跟他們區經理抗議公司給的商旅津貼實在太少，於是區經理就在總公司副總來到這地區視察時，把採購員的意見反應給他，副總保證會立刻做合理的改變。副總跟區經理說：「一旦總公司通過後，我馬上打電話給你。我想，最晚在這個禮拜之內可以改善。」

區經理於是把副總的保證，告訴了這兩名即將在下周出差到國外的採購員，希望他們可以藉此得到鼓勵。但沒想到，直到那個禮拜快要結束，副總才告訴他說：「很抱歉，因爲過程有點複雜，我幫不上他們的忙，但下次一定會改進的。」總而言之，副總否絕了他曾保證過的事，這個讓這兩名採購員相當不高興，認爲是經理言而無信，不久他們兩位就跳槽到別家公司了。

雖然經理原是好意，但在事情還未確定前就輕易給人保證，之後卻無法兌現，因而造成公司損失兩名優秀的人員。因此，如果你無法確定可以做到的事，絕對不要做任何的承諾。

有些人，明明跟人說好的事，臨時卻反悔了，且要求變更，造成別人的損失，也使自己的信用掃地。

有一個從事私人導遊工作的朋友，曾經憤恨不平的跟我說：「唉！實在是氣瘋了，上個月透過朋友的介紹，接了一團華裔觀光客到台灣來玩。原本的行程是到日月潭，根本沒有花蓮太魯閣的規劃，結果到台北後，說不要去日月潭要改去花蓮，這行程早就安排好了，所有沿途的旅館、飯館、遊覽車都包了，來台灣之前她們是確認過的，但現在這幾個女人硬要鬧，只好改行程，爲了她們，我們旅行社損失很多錢，像這種客人，以後絕不再接，信用太差了。」確實，信用太差、經常出爾反爾，即便再有錢也不會受人歡迎。

股神巴非特說過：「一個人的信譽需要二十年來建立，但是只需五分鐘就可毀滅。」

四、十四歲到成年：叛逆與知識啟蒙

十四歲開始，青春期的孩子正叛逆，這個時期孩子必須學習獨立。但是父母別急於放手，而是應該在放手與支持之間，保持關心卻不干預的良好距離。否則，無論是太過追尋自我，或是太過依賴，都不是所樂見的結果。

關於青少年內在素質的養成，「生理」上的影響極為重要。關於性別教育的養成技巧，在之後的章節會深入探討。在此，我想要分享的是親子如何攜手度過成長的暴風期。

我們都知道這個時期的孩子，內心彷彿有隻猛獸，無論男孩、女孩，多少都會顯露出叛逆。原本可愛的孩子變得難以相處，父母通常很難適應這種變化；但是，身處在風暴中的孩子，又何嘗好受？

這個時期的孩子正在尋找答案，他們要展開新的冒險，面對自己的人生；即便心理想要留在童年，孩子的生理也會被催促著往前面的道路邁進。這時，家長該成為孩子的啦啦隊：不參與挑戰，卻永遠從旁加油打氣，給予支持，讓孩子在青少年之後，能盡情發揮創意，讓人生發光發熱，成就自我。

透過接觸各種不同的知識，讓他們找出自己的興趣和人生方向，孩子越早找出自己的興趣和人生的方向，對未來的人生越可以減少許多不必要的浪費，所以這階段給予孩子知識的啓蒙是父母必修的課題。

貼心的叮嚀

父母期許孩子要成龍成鳳，不是只成爲父母眼中的龍和鳳，而是人生中真正的成功者。每一個父母永遠期待孩子比自己強，無論孩子年歲多大，永遠是心中的牽掛。但爲人父母要相信：只要把孩子的品格基礎打穩，讓孩子依循正確的準則做人做事，把握每一個孩子成長時期的變化，施予適合的教育，相信孩子未來的人生遇到多大風雨，都會因爲心中有愛，而朝著正確的方向前進。

三、父母的功課

孩子的成長稍縱即逝，懇請爸爸、媽媽們，事業再忙，都盡量不要做一個缺席者。在孩子面前背後，以身作則，不斷地提醒自己「言而有信」，千萬不要認爲孩子還小，「騙騙」他就好，殊不知您的一言一行，正點點滴滴地影響著孩子一生的成敗呢！

在孩子面前背後，
以身作則，
不斷地提醒自己「言而有信」，
千萬不要認為孩子還小，
「騙騙」他就好，
殊不知您的一言一行，
正點點滴滴地影響著
孩子一生的成敗呢！

第二課：庭園松還是大樹？因材施教

植物要長得好，首先要有一個好的環境，有好的肥料，好的土壤，好的氣候，好的水份和陽光，種種條件，可以讓一顆普通基因的種子，長成大樹。

一、庭園松還是大樹？

你想把你的孩子養育成庭園松還是大樹？每一個人來到世界上都是唯一的、是獨一無二的，在這個宇宙中是獨有而尊貴的；人來到這個世界將有怎麼樣的人生？其實有無限的可能性，除了被動的接受學校的知識，古今文化的資源之外，因人有無限可能的創造力，可以使無變有，也許世界會因爲他，創造了更偉大的知識，推進人類文明更進一步，古今中外的發明家不都是這樣嗎？要把孩子教養成什麼樣的人之前，讓我們先看看這些發明家的學習歷程，他們每一位在校的成績分數都很高嗎？以牛頓爲例：

西元一六四二年艾薩克・牛頓 (Isaac Newton) 在英國林肯郡的一個農夫家出生，由於農家的生活條件不好，牛頓本身又早產，身體很虛弱，所以一出生，醫生就認爲他活不下來。

牛頓還沒出生，父親就過逝，母親沒多久也改嫁了，他從小由祖父母扶養長大。也許家庭環境的關係，牛頓小的時候很孤僻，十二歲就讀格蘭特罕區國王中學，一直到十四歲，他在校的成績都在平均成績之下，是非常平凡的孩子。

身材矮小的牛頓，十四歲那年發生了一件足以改變他一生的事情——那就是他受不了同學不斷的嘲笑和侮辱，和一位個子高大的同學扭打，這一架讓他一戰成名。因爲瘦小的他，打敗了高大的同學，化不可能爲可能，打贏這一架，是牛頓從小到大，第一件受同學朋友讚佩的事，這件事也讓他一吐鬱氣，或許他的心中因此得到寬慰與平衡，從此以後他不需要人督促，自己會主動用功讀書，十八歲那年進了劍橋大學三一學院深造。

這時的牛頓對光學很有興趣，尤其三稜鏡所造成的彩虹效應，和二項式定理數學的研究，更是讓他廢寢忘食地不斷試驗和研究，這顆興趣的種子，蘊藏、發芽，到一七〇四年，終於把成果寫成了改變世界的《光學》這本著作，對後世影響深遠。

一六六六年，牛頓二十四歲，發生了一件可以成爲流傳後世的重要物理理論開始的契機。一個午後，蘋果掉在牛頓午睡的地面上——促成了牛頓研究重力理論，而重要的理論和數學式從此被發現。往後幾年因爲他不斷在數學上的創新和研究，牛頓不但成爲劍橋大學盧卡斯講座教授，還親手製作出有史以來第一台反射式望遠鏡，進行煉金術研究……。

牛頓逝世已超過三百年，他的成就嘉惠了現代人，但由牛頓的成長環境來看，那只是一個很平凡的農人之家，沒有顯赫的家世，從小家裡也沒有錢請名師來補習；小學、中學的成績都很普通，可是他日後的成就卻光芒萬丈！可見得一個人的在校成績與未來的發展並不一定有太大的關連。發明大王愛迪生也是很好的例子：

「問題」兒童愛迪生(Thomas Alva. Edison)，是一位不會讀書孩子的代表。

一八四七年愛迪生出生在美國俄亥俄州，從小就是個「問題」兒童，因爲他對於任何事都喜歡問「爲什麼？」，除了問「爲什麼」之外，也喜歡親手做實驗。

有一回他問媽媽爲什麼老母雞總是喜歡坐在雞蛋上？愛迪生得到答案後，也學母雞孵蛋，結果把一窩蛋壓碎了。

又有一回，老師告訴他，毛皮摩擦可以產生電，愛迪生便捉來兩隻大貓，把兩隻貓尾巴綁在一起，想使牠們的毛皮摩擦生電……。愛迪生在孩提時期就進行過許多實驗，其中最著名的是火藥，當他得到如何製作火藥的解答時，他的實驗在耶誕節前夕，燒燬了大半個糧倉……。

這位改變世界的大發明家，他在校就學受教育的時間，只有短短的三個月。由於不適應學校的教學方式，十二歲那年，愛迪生就開始在休倫港和底特律之間往來的火車上當報童，除了賣報紙和一些糖果、點心之外，愛迪生在工作同時，也不放棄熱愛的實驗。在那段期間，他學會了基本的電報技術，便在火車上作實驗……，漸漸地也把一些化學藥品、實驗器材搬上火車實驗，直到有一天，因實驗發生意外，車廂燒了起來……，忿怒的管理員，把愛迪生所有的實驗器材丟出火車，同時愛迪生也一併被開除了。

愛迪生後來又回到鐵路局擔任晚班的報務員，鐵路局規定，報務員需每一小時發一次訊號給車務中心。於是愛迪生便發明了一台自動定時發報機可以主動回報消息，但在一次查勤中，車務主任發現愛迪生正在睡覺，爲此愛迪生又再次被鐵路局開除！

對於這樣沒有受過學校正規教育的愛迪生，卻陸續靠著對機械的瞭解，和優良的維修技術，在一些電信、電報公司，製造和改良很多事務機器，如：黃金行情顯示器、股票行情顯示器、金價印刷機等商用機器，同時研發、承製各種科學儀器。到了一八七六年，愛迪生在紐約「夢羅園」，成立了他的實驗中心，就是「愛迪生發明工廠」。這裡擁有精密的設備儀器，還有一批才華卓越的各類專家。

一八七六年到一八八七年間，愛迪生和他的科學家們，在這裡研發了種類繁多的儀器，這些發明包括：同步發報機、愛迪生複印機、改良電話機、留聲機……，以及影響世界最多的電燈。電燈的發明讓人們夜晚變白天，爲了讓電燈更方便使用，又研究出並聯電路、保險絲、絕緣物質、銅線網路等附加設備、一八八八年的電影攝影機、一八九六年的電影放映機，和「愛迪生鎳鐵電池」……。

愛迪生是有史以來，最受崇敬的發明家，他的創新和發明，使人們的生活直接享受到他的發明成果。總計愛迪生一生共計二千多種發明，包括醫院、工廠、火車、電梯……等處都受惠，讓醫生、護士、工人能夠更方便的做事，他的發明也相當符合人們許多日常生活所需，提供了人們生活方便性和舒適性。

愛迪生這樣一位改變世界的偉大的發明家，但真正受過的學校教育只有三個月，因爲他那愛發問的習慣，學校老師不可能有時間一一解釋，媽媽只好把他帶回家自學，自己教導。她知道學校固定的教學方式，對於愛動腦的愛迪生是不適合的求學方法，對愛迪生這種特殊孩子，媽媽除了教導愛迪生讀莎士比亞、聖經、典籍、史書之外，還提供那些有關自然科學實驗的書給愛迪生，讓愛迪生用自己的方法去學習知識，由於媽媽的理解認知，沒有強迫孩子在不適合的學校裡，痛苦的學習，這給了他自由學習的空間，也改變了這孩子的一生。

另一位劃時代的偉人愛因斯坦，在他還沒找到自己的學習方式之前，小學、中學的學習成績也很平凡。上述這幾位偉人的學習歷程似乎說明了一件事，那就是，學校的課程內容的設計並不適合他們。

因爲每個人的特質不同，正規的學校教學模式，無法滿足不同特質的孩子。可見「因材施教」是非常重要的，但是在這個大環境之下，明星學校、明星老師及成績掛帥的學習制度，使孔夫子這個「因材施教」的教育理念，無法發揮的淋漓盡致，苦的是那些無法適應現在學校教育模式的孩子！

以學生個別差異來說吧！課程內容、老師教法是不是都適合每一個學生呢？據專家的說法，教學法有左腦式教學法，右腦式教學法，聽……等。而適合學生的學習型態也很不同，例如有些孩子屬於聽覺型學習者，上課的時候不管老師用什麼方法教，這個孩子只能用「耳朵」學習，他必須「用聽的」才能理解老師教的東西，老師在黑板上書寫式的教學，對聽覺型的孩子來說，效果是不大的。另一種孩子是「記憶型學習者」，這類型的孩子，老師寫板書的教學法，對他而就能接收的比較好。

另外還有一種是「觸覺型的學習者」，這類的孩子，必須透過實際用手或身體觸碰才學得會，例如：開車，打字，工藝或做各種實驗，以上種種類型，實在不能單單以學校的考試成績好或不好，論定這個孩子將來的成就！

假使一個孩子在學校的功課不好，身爲這孩子的父母，或許想法跟態度都該轉個彎，當孩子在人生旅途中遇到了暴風雨，是否先爲他們準備一個安全的港灣，再好好找出這孩子的興趣、特殊才能，以及適合他的學習法，然後加以鼓勵、培育，讓這個孩子的特質可以得到完全的發揮，或許能造就另一個未來的偉人也說不定！

二、成功人士，一定都「會讀書」？

盡情展現自我的才華，發揮自己最大的效能，就是成功！

大部分的學校都以升學爲導向，所有學生學習的重點，也大都是爲了考高分、進名校。因爲在沒有更完善的升學制度下，只能以成績高低，來決定孩子就讀那一所學校？而家長普遍認爲，學校的排名和孩子未來的成就，或是他的一生是否成功、是否幸福美滿有絕對的關係。但事實是不是如此呢？

文憑是否爲孩子學習的終極目標？歷史上和現在工商界那些領袖人物，有幾人是出身所謂「名校」、「高學歷」呢？有多少有成就的人物，學習階段是個會讀書的孩子？這些領袖人物，他們之所以成爲各領域的頂尖人物，是因爲從小尊重自己的興趣，進而培養自己的專長和能力，然後加以發揮才有所成就的？還是在校時有好成績呢？

有許多家長沉浸在高學歷的迷思，執意要孩子努力追求分數，讀書、讀書、再讀書，讀完了高中，讀大學，讀完了大學讀研究所，研究所畢業還不就業，繼續讀博士班，以至於有些人到了四十幾歲還在等著拿博士學位。請問，人生有幾個四十年呢？一個人把大半的青春都用在讀書上，還沒就業，還沒結婚，人生還沒開始，幾乎就可以退休了。這樣的人生，一般人該有的畢業、就業、戀愛、結婚、立業、成家等過程……，每一個年齡該有的生活體驗，都被讀書磨蝕掉了，那樣的人生，就算真的拿到了博士學位，又有什麼精彩可言？

更何況，現在教育機構普及，大街小巷都是大學、研究所、博士班的狀況下，碩士和博士人數，已多到迎面走來，一百人中，至少有五人是碩士、博士。不管適不適合，爲了攻讀學位，讓許多人浪費生命中最精華的青春時光，值得嗎？

再者，現今的職場，究竟有沒有需要這麼多的碩、博士呢？是不是所有的工作，都需要那樣的高學歷才能做得好？會不會高學歷不但不是就業的保障，還可能是就業的包袱？有些人自恃高學歷，以爲自己學歷高，就是高人一等，因而高傲的不能彎下腰、捲起袖子，務實的工作？這些因分數和學歷造成的教育問題，做爲家長的，更應該思考，要讓自己的孩子走一條怎麼樣的人生路？

如果孩子的天份不在讀書，家長卻一味要求孩子的分數，每天勉強、壓迫孩子讀書，把孩子真正的學習興趣都抹殺掉，無異是攔阻了孩子的人生路。其實，在這個多元的時代，無論從事什麼工作，只要自己能力得到充分發揮，專業素養可以超越同行，並持續精進自己的實力，不懈怠也不高傲，一樣可以達到無人能匹敵的成就。所以如何尊重與發現孩子的特質，如何培養他的專業能力，才是訓練他未來職場競爭力的方法，而不一定需要太看重在校成績是否拿高分。

以現實層面來說，周杰倫、吳寶春、王建民、林育群……等人都是各個領域的佼佼者，他們所獲得成就，不論名聲、地位、財富都比一流大學的碩、博士生還要來得高。甚至於那些出自一流大學的碩、博士生，花費一輩子的努力都不見得能達到那樣的成就。所以，家長應該要尊重孩子們的才能，鼓勵他們朝向自己的目標邁進，才能發揮生命的價值。

三、學習應有免於恐懼的自由

考試、分數、成績可以成就孩子，也可以打擊孩子，但學習應有免於恐懼的自由。

孩子在學習過程中，考試的成績不理想，或是遇到學習障礙，往往是因爲基礎沒有打穩，又在剛開始學習時，遇到障礙沒有得到立即解決，而造成的。所謂「冰凍三尺，非一日之寒」。通常，課程的安排都是由淺到深，由易到難的，隨著課業不斷的加重，前面的問題沒有解決，造成後來的問題更嚴重，如此反覆循環，成績必然每況愈下，到後來，每上一堂課，對於聽不懂老師在教什麼的孩子來說，上課都會如坐針氈。不擅長讀書考試的孩子，如果沒有解決他學習的問題，在學習上會越來越被邊緣化、被孤立，上課學習對他們來說，每天都很恐懼，每天都是壓力，每天都很痛苦。

對於這樣的孩子，每學習一天，被打擊的情況就加重一些，這些得不到鼓勵，又被不斷打擊的孩子，置身在恐懼的學習環境之中，父母和學校如果沒有給他一條適於他的學習道路，那就如同在生長中得不到水灌溉的草一樣，沒有辦法成長進步反而自我放棄。父母親的放縱或許會使一個孩子沒有成就，但經歷一連串打擊，更會讓一個孩子喪失自信，變成無能，甚至毀掉一生。

孩子在學習過程中，常常會遇到許多問題，這些問題除了課業上的，還有身體、心靈的。因爲成長使人由原本的單純到複雜，在他們感到「難受」、「失望」、「壓力」、「無助」時，身爲父母或老師，是否注意過孩子身心的變化？是否分析或找出問題的根源？是否爲孩子提供了解決的步驟和方法？有沒有給孩子一條可以解決困擾的道路？不管是引導或是明示，做父母師長的可曾在面對孩子心靈成長問題時，給予他們清楚而明確的人生方向？

在孩子不斷受到打擊和壓力下，這個孩子還有沒有可以賞識和值得稱讚鼓勵的地方呢？「天生我材必有用」一個人是不可能沒有任何優點長處的，哪怕他的優點只是天真無邪的微笑。一個純真的笑容也能撫慰人生命中的苦難。每個孩子都有值得被讚賞的地方，不要因爲一時成績不好，就否定孩子的一切努力。

一個人一生是否幸福，往往取決這個人有著什麼樣的性格和價值觀。培養孩子有良好、陽光的性格和價值觀，遠比培養他在校成績對人生的幸福還來得更爲重要。

有著陽光般身心的孩子，即使面對不同的遭遇和苦難，處理事情的態度是正面和積極的，對待周圍親朋好友的態度也很和善。而正面積極性格的養成和小時候是否受到過度的壓力和打擊，以及是否被認同和讚賞有絕對的關係。

人生成就是多元的，不管人生未來扮演什麼角色，重點是孩子在學習過程中，應有免於恐懼的自由。

有著陽光般身心的孩子，
即使面對不同的遭遇和苦難，
處理事情的態度是正面和積極的，
對待周圍親朋好友的態度也很和善。

清楚自己的立場，堅守自己的原則，釐清對人的權利義務，在團體生活中學習做一個合群的人。

四、狩獵、比賽、玩樂，團體活動的合群訓練

人是群居的動物，還未成長獨立的孩子更是不能離開團體生活。隨著年歲增長，同儕的重要性會逐漸勝過父母，輿論壓力更可能牽動一生的選擇。

在培養孩子社會化的過程裡，除了學會承擔責任，也必須讓孩子清楚自己的立場，堅守自己的原則，並且釐清對人的權利和義務，在生活中學習和人相處。例如：在一個團體裡，要清楚自己在團體裡的位置是什麼？該扮演什麼角色？該做什麼事？也要了解，誰是團體的負責人？團體的規定是什麼？這些規定與自己的權利與義務有什麼關係？如果沒有這些認知，不僅進退無所依據，不知如何自處，還會被人孤立，容易成爲團體中的邊緣人。

「組織」的建立其實是自然而然的，在這個社會上，如果沒有組織，就會顯得混亂而不安。就算沒有人主動負責出來管理這個組織，組織也會從爭鬥中，自然而然的建立順序。因此，如何讓孩子了解團體生活的規則，即便無法成爲團體中的領導群，至少也不會成爲被孤立的犧牲者。「組織」可以讓人因爲被認同，而產生信任感，被

隨著年歲增長，
同儕的重要性會逐漸勝過父母，
輿論壓力更可能牽動一生的選擇。

對同儕團體的成員要關心，
並且不吝給予稱讚，
甚至藉由交流
而成為彼此的學習夥伴，
讓人生更加積極進取。

賦予任務，更能增加自信。因此，如何讓孩子在渴望團體的認同時，也能慎思明辨是非，孩子才能懂得如何選擇做對的事。

在動物世界裡，小動物藉由遊戲練習生活技能，以及團體生活的模式。而人類的發展史，也是藉由狩獵、比賽……等團體活動訓練下一代。任何形式的團體活動，都可以讓孩子有歸屬感，並且增加自信。人與人相處，難免有摩擦，因此團體活動也需要留心負面的狀況發生，如鬥爭、作弊等等，避免讓孩子產生負面的價值觀，或是因為抗壓性不足而崩潰。

團體活動的規範，不僅可以讓孩子學習尊重、守法紀，也能學習了解自己的極限，約束自我的情緒和慾望，以多數人的目標為依歸。對同儕團體的成員要關心，並且不吝給予稱讚，甚至藉由交流而成為彼此的學習夥伴，讓人生更加積極進取。

至於團體間的競賽活動，也具有正向的教育意義。那就是藉著競賽，培養「勝不驕，敗不餒」的運動家精神。父母應該要看重的，不是比賽輸贏，而是在過程中孩子學習到做人處世的方法。

孩子的養成教育，如果只在家庭執行，範圍和視野都太過單薄。因此，父母在教養孩子的過程裡，應該走出家門，與社區或社群建立良好的關係；有些時候，易子而教反而能夠減少親子間，直接教導所產生的衝突與問題。

任何形式的團體活動，
都可以讓孩子有歸屬感，
並且增加自信。

在這裡，特別希望父母能帶著孩子參與志工服務。並不是要將目標訂在升學加分，我們所期待的是種下善美的種子，形成正面的循環。

當父母和孩子一起參與志願服務工作時，不但以身作則，成爲最好的典範。在志願服務時，彼此間除了是親子，又多了夥伴的關係。透過工作目標制定、任務完成、檢討分享……等團體運作模式，讓孩子了解大人的世界是如何運作，從服務工作當中，建立正確的價值觀，孩子也因爲共識的過程拉近距離，更加願意與父母分享各種心情。讓孩子感受到團體的關心與重視，知道他們的存在是非常重要的，這會讓孩子建立自信，更加積極的面對生命。

培養一個優秀的領導者，得先讓他在團隊裡當個稱職的一員。所以，父母應該多鼓勵孩子參加社團，藉此了解團隊中各個位子的角色和重要性。更重要的是，明白自己在團隊裡的分際，及如何處理團隊裡的危機？

這是非常重要的學習。因爲現實社會中，無論是工作或家庭，都必須靠團體合作來運作。

隨著孩子的成長，也應教育自我保護的概念，哪些事物帶有危險性，遇到了受傷、可疑、危急的情況，又該如何應對？

在孩子成長過程中，大部分的人會擔心女孩的安危，其實男孩、女孩的安全同樣需要注意。甚至有心理專家發現，女孩比較專注，而且思緒清楚，對於環境的警覺性反而比較高；而男孩則大多直線思考，大而化之的個性反而增添危險性。

這樣的差異性，從孩子的兒童時期就能看出。在幼稚園裡最常跌倒的，或是讓老師哭笑不得、提心吊膽的，大多是男孩。就算是到了高中，男孩還是會做那些他們認爲很酷且與眾不同的冒險行爲。以動物求偶的理論來看，男孩藉由冒險展現英雄氣概，無論多麼可笑，都是爲了引起女孩的注意。而身爲家長的就必須提醒其「安全問題」之重要性。

根據衛生醫療單位統計，十五歲的男孩因爲暴力、意外和自殺而死亡的人數，是女孩的三倍，即便存活下來，也有非常高的比例是腦部受損或癱瘓。提出這樣的數據，並非增加父母的恐慌，而是希望提醒父母，如何幫助孩子建立危機意識，懂得保護自己。

校園中的「霸凌」(Bullying) 問題，是各國教育當局和父母最爲頭痛的現象，無論男孩、女孩，無論是言語、行爲或任何形式的暴力，都讓被霸凌的孩子痛苦萬分。

首先，每個父母應該避免讓孩子成爲加害者。這是從小就必須導正的觀念。當孩子口出惡言，用行爲或言語污辱他人時，就應該立刻嚴格禁止。要讓孩子知道，即便是言語，也會讓對方受傷，千萬不能以爲只是個玩笑而已。

我曾看到有些年紀小的孩子，見到有人跌倒或受傷，第一時間不是伸手攙扶，而是站在旁邊取笑，甚至有些大人也是如此。這對於受傷的人而言，「被嘲笑」又加深了傷害，讓他陷於不知所措。

大人的身教與言教非常重要，因為孩子會以比自己年齡大一些的孩子或成人做為榜樣，當作「好玩事情」的學習對象。假若在團體中出現比較理智的孩子，就有機會制止這種錯誤的行為蔓延下去。

同儕間的壓力無法避免，而且這種壓力也是成長過程中必須面對的磨練。就算不是在學校，長大後也會在軍隊、職場遭遇到同樣的壓力。因此，父母要讓孩子遠離危險，不是一味的保護，而是該培養孩子建立自主能力及團隊裡友善的友誼，在保護自己的同時也適時幫助別人。

五、是愛還是礙？學習須「換位思考」

用同理心感受和了解孩子的痛苦，是教養的根本。

對於孩子在生活中遭遇困難和痛苦的處理方式，有些孩子沒有同理心，無法感受別人所遭受的痛苦；對於自己的痛苦也無法處理，要解決這個問題，和大人如何對待孩子的態度有關。

當孩子犯了錯，或是表現不如大人的期待，其實全世界最痛苦的是孩子本身。他們心中直接想到的是：「完了，要被處罰了！」年紀大一點的孩子甚至會出現自我放棄：「隨便你們怎麼處罰吧！」，其實孩子犯錯後，在師長處罰他之前，自己已有很多想法，也許孩子想的方向不正確，但恐懼被處罰，又不知道如何善後，在他們心中，對自己所犯下的錯誤，早已尋找過無數次答案。此時該給孩子的，不是強加什麼大道理，只需要站在了解孩子的角度上分析問題，講解問題，並且告訴孩子什麼是對和不對。對於犯錯的孩子，他們更希望的是有人懂他，了解他。

讓孩子勇於承擔錯誤，是養成教育中不可省略的環節。父母在處罰以後，別忘了傾聽與導正，了解他們爲什麼會犯錯，他們犯錯的原因是什麼，設身處地爲孩子著想，讓孩子下一次還願意對你傾訴。

若父母能夠換位思考，站在孩子的角度看事情，孩子也會因爲有人能懂他的情緒，知道同理的感受，而學習如何將心比心，感受他人的感受。

換位思考的另一個效應，是在於孩子懂得克制自己的行爲。當心中憤憤不平，或是理智即將瓦解時，如果孩子懂得父母會因爲他們的行爲而傷心難過，知道這個世界上有人能體會他的心聲，在情緒爆炸前腦中浮現一個懂他的人，就能避免錯誤的發生。

邪惡的背後不一定是邪惡，更多的是無助與徬徨，特別是青少年犯罪。在探究青少年犯罪背後的動機，會發現多數是在成長的過程裡，長期處於無法宣洩壓力與情緒的狀態。也許平時看不出異樣，甚至是師長眼中的好孩子，但是內心卻藏了一顆炸彈，無處抒發，一旦出現一個引爆點，那些負面的情緒會隨即爆發，而不可收拾。甚至對自己或其他人造成傷害。

換位思考用在解決同儕間的衝突和紛爭時，最重要的是能否了解彼此的想法，體諒對方的作爲。讓孩子學習用多元的角度看待事情，就不會因爲鑽牛角尖而想不開，陷於無解的情緒中。

同理心是個很難具體描述的態度，但父母可以藉由故事、影片或新聞事件，隨時和孩子分享同理心的重要，或練習「換位思考」，將負面的看法，藉由改變看事情的角度，進而轉化成了解與體諒。換位思考更能發現生活中對自己有恩的人、和需要幫助的人。

如果無法管理負面情緒、缺乏同理心，沒有健全的人際關係，即使如何聰明才智，也無法飛黃騰達。——丹尼爾・高曼（Damiel Goleman，美國著名心理學家）

教育孩子的機會無所不在，「上學」只是其中一種方式，爸爸、媽媽如果能夠多引導孩子，閱讀課外書籍、雜誌，甚至陪伴他們選擇有意義的電視節目觀賞。每讀完一本書，看完一篇報導，都與孩子討論，了解他們的看法，也將大人的想法提出來互相討論，對開拓孩子的視野將大有助益，思想也會超越只在學校「讀書」的同儕。對孩子的興趣，父母應該「順勢而為」、「愛心陪伴」。有朝一日，您的孩子一定會在他的興趣中，得到最大的成就。

切記，所謂的「成就」，並不是只有僵化的幾種選項。世界有多少不愛念書，但愛烹飪的「大廚師」？不愛念書，卻會玩的「超級魔術師」？甚至曾是世界首富的比爾蓋茲，也是連個正式的大學文憑都沒有。爸爸、媽媽們，您還僅僅執著於僵化的學校教育嗎？

第三課：培養「美」內涵與能力

如果兒童讓自己任意地不論去做什麼而不去勞動，他們就既學不會文學，也學不會音樂，也學不會體育，也學不會那保證道德達到最高峰的禮儀。

一、勞動是道德最高標的禮儀

美國長春藤大學入學申請時，除了在校成績和入學考試(SAT)的成績外，都會要求學生在申請表上，填寫該生是否有任何「特殊才藝」和曾經參與哪種「義務服務」？目的是不想招收一些讀「死書」的學生。一個品學兼優的好學生，肯定不會是一個讀死書的「書呆子」。除了要顧及學校的課業成績外，家長應該培養孩子一些「藝術才藝」，用以陶冶性情。也要讓孩子培養「運動技能」，用以強身。除此之外，讓孩子參與社會服務，可以讓孩子更有愛心，並養成孩子長大後對社會的責任感和公德心。

然而，眾多的才藝選項，家長要如何選？是否需要每種都學？其實，這是廣大華人家長的「迷思」。有很多家長，爲了怕孩子「輸在起跑點」，只要是有開課的才藝課程，一樣不缺的照單全收。於是可憐的孩子，週一上鋼琴課，週二上網球課，週三上畫畫課，週四上小提琴課，周五上……。家長們把孩子一星期七天的時間全佔滿，讓孩子沒有喘息的機會，爲了學習才藝，孩子變得不快樂，有時還會和爸爸媽媽「反目成仇」。這都不是家長讓孩子學習才藝所預期的結果。

每一種才藝都有其值得學習之處，但是孩子的學習時間有限，實在不需要花過多的時間，學一堆才藝，重要的是發掘出孩子的興趣和特長。況且，所有的才藝學習還得回家花時間練習，若小朋友回家沒有充分的練習，上再多的課也是枉然。因此應該依照孩子的興趣和能力，選擇一種才藝課，譬如：鋼琴、小提琴、畫畫……等，用以建立孩子的美學概念和修身養性；再選一樣運動，如：籃球、乒乓球、網球……等，用以強壯體魄。才藝若學習的「精」，才能讓孩子受用一生了。

古希臘愛琴海的自然派哲學家德謨克利特說：「如果兒童讓自己任意地不論去做什麼而不去勞動，他們就既學不會文學，也學不會音樂，也學不會體育，也學不會那保證道德達到最高峰的禮儀。」

唯有身體力行，實際操練，才是訓練美學能力與能量的王道。

二、音樂是一種道德律

多數華人爸媽都很喜歡培養「天才兒童」。常常會見到這樣子的狀況：三歲小娃兒，骨架都還沒長好，就被送去學鋼琴。又大又黑的鋼琴如同沉眠的巨獸，孩子坐上椅子，就感受到威逼壓迫；琴鍵對幼童來說很重也很難按壓出聲音，孩子怎麼敲也敲不響；老師還會在一旁用筆敲著孩子的手背說：「手要圓圓的，要用指尖彈！」我的天哪！想了都頭痛，別說是一個小娃兒了。然而，這就是普遍中國式的音樂學習方式。

我從事兒童音樂教育三十餘年，音樂教育是我的「吃飯傢伙」，但我卻不贊成孩子太早學習樂器。無論是鋼琴、小提琴，都需要骨架子長好一點後再練習，千萬不要因爲廠商廣告說「學音樂的孩子不會變壞」，就早早讓孩子學習樂器，如此反而「揠苗助長」。

所謂不贊成太早學樂器，並不表示不要太早接觸音樂。「聽覺」是人類與生俱來

無論是鋼琴、小提琴，
都需要骨架子長好
一點後再練習，
千萬不要因為廠商廣告說
「學音樂的孩子不會變壞」，
就早早讓孩子學習樂器，
如此反而「揠苗助長」。

的感覺，當寶寶在媽媽肚子裡的時候，對母親腹部外的聲響已經有感覺了；所以坊間也有許多類型的「胎教音樂」，供孕婦媽媽欣賞，讓寶寶在媽媽肚子裡，就開始培養「聽音樂」的能力。

寶寶呱呱落地後，開始新的「人生探索」。凡是各種能感覺到的事物，寶寶都會感興趣。建議媽媽們，隨時營造一個「有音樂」的環境。白天，寶寶可以聽一些節奏感比較強的音樂，如：進行曲、圓舞曲……等。晚上睡覺前，輕柔的音樂有助於寶寶的睡眠。現在大陸上流行的早教中心（〇至三歲）裡的感覺統合訓練上，就經常以音樂作爲媒介，刺激幼兒的各種感覺。

一般而言，幼兒比較具體接觸「音樂教育」的時期，大約在三至四歲間。因爲這個時期的幼兒，在聽覺發育上最爲強勁，家長可以把握這個時期，培養寶寶的音感。世界上有幾個幼兒音樂教育系統，都是從這個時期開始，系統化地給與幼兒在音樂上的訓練。如：日本的 YAMAHA，奧地利的奧福 Orff，美國的 Harmony Road……等。這些音樂教育系統，都採團體教學，並且讓三、四歲的幼兒，在遊戲中「快樂的」學習音樂。他們沒急著每天讓孩子坐在黑壓壓的鋼琴上練琴；也沒急著讓孩子在小小的脖子上夾著小提琴，這些音樂教育系統，都爲幼兒設計活潑、生動的課程，輔以創意的教具，來訓練幼兒的音感、節奏感和識譜能力，並且在課程中加入音樂欣賞、合奏等項目，培養幼兒欣賞音樂的能力及與人合作的品格。

幼兒在經過一陣子的音樂基礎訓練後，稍微長大點，骨骼也比較成熟了，家長這時再送孩子學習樂器都爲時不晚。一般來說，六歲左右「正式」學習樂器是比較恰當的時機，然而，即使孩子已經隨個別老師學習樂器了，團體的音樂學習都不應中斷。團體的學習可以讓孩子有互相觀摩的機會，也可與同儕一起合奏；在合奏中，除了展現音樂另一種美感外，也是孩子學會與人合作的機會。合奏音樂裡，有人擔任主旋律的角色；也有人擔任伴奏的角色，主角和配角在展現上必須各自拿捏分際，共同演奏一首樂曲。如果每個參與合奏樂曲的人，都想擔任主角，各吹各的調，那麼呈現給聽眾的音樂也會不成曲。各司其職的合作，才能表現出完美的樂章，小小的合奏經驗，不也是在社會中與人合作的縮小版嗎？

音樂的學習也不能少了表演這一環。這是訓練孩子展現自我最好的訓練。從小有機會上舞台、演奏台的孩子，長大後將會是個落落大方的「紳士」或「淑女」。

從事兒童音樂三十餘年來，有太多家長問我：「我的孩子不愛練琴怎麼辦？」我只問家長：「你給他們的是怎麼樣的音樂教育？」如果，家長的心態是「製造」一個天才兒童，讓五歲的孩子去考困難的音樂檢定，那麼孩子肯定不喜歡「練琴」。如果，

團體的學習可以讓
孩子有互相觀摩的機會，
也可與同儕一起合奏；
在合奏中，除了展現
音樂另一種美感外，
也是孩子學會與人合作的機會。

家長是循序漸進的培養孩子對音樂的興趣，建立孩子各方面的音樂能力，孩子怎會排斥「練琴」？因爲，孩子享受的是「彈琴」而不是「練琴」呀！

音樂學習小秘笈：

★ 隨時讓孩子生活在「有音樂」的環境中，培養欣賞音樂的能力。
★ 不要急著讓孩子學習樂器。
★ 把握孩子聽覺發展的高峰期，讓孩子以團體學習方式訓練音感、節奏感……等。
★ 即使孩子已經開始學習樂器了，還是要有團體課程輔助。讓他們在團體課中，有更多同儕的激勵和與人合奏的機會。

古希臘哲學家柏拉圖說：「音樂是一種道德律，它使宇宙有了魂魄，心靈有了翅膀，想像得以飛翔，使憂傷與歡樂有如醉如痴的力量，使一切事物有了生命；它是秩序的本質，引向成為真、善、美的一切。」

十七世紀的法國啟蒙思想家德尼．狄德羅 (Denis Diderot) 說：「好的音樂是非常接近原始語言的。」

三、繪畫，心中美麗的世界

「繪畫」也是家長常讓孩子學才藝的選項之一。相較於「無像」的音樂，繪畫要來得具體多了。每一筆、每一畫都能讓孩子充滿成就感，所以比較容易引起孩子的興趣。

家長可問問自己：「我們爲什麼要給孩子學畫？繪畫能帶給孩子什麼？」繪畫可以培養孩子的觀察力、感受力、創造力，並可建立孩子的美學概念。健全的兒童畫啓蒙教育，會根據兒童各階段生理、心理特點，用啓發和引導的方法，引領兒童發現生活中的美，創造性地表現自己內心的感受。然而，坊間一般的兒童繪畫教學，仍然存在許多偏差；加上家長們希望很快的造就一個「畫家」，老師也以固定的程式教孩子「背下」如何畫一兩種物品，或教孩子臨摹某種形象。並要求孩子畫得越像越好，最好和照片一樣逼真……這樣的教學方式，也許可以快速造就出一個繪畫「神童」，但就長遠來看，大人已經抹殺了孩子的創造力和藝術表現的能力。因爲，繪畫是一種藝術，藝術本身就是一種「創造」，不是簡單的再現和模仿；如果畫出來的作品和相片一模一樣，我們又何須學畫呢？因此，在所有的學畫的方法中，最重要的是培養孩子的美感體悟，通過一些能掌握造型的基本學習，發揮創造力來表現對美的感受。

那麼，甚麼樣的繪畫學習，才能幫助孩子創造力和美感的提升？

老師可以從簡單的握筆教起，如何掌握基本線段和幾何圖形、豎線、橫線、折線、斜線、弧線、波浪線、鋸齒線、螺旋線……等，接著再教他們用這些材料組合成圖形。當孩子能夠組合成幾何圖形進行作畫時，再告訴孩子如何將個人感情，感覺，情緒和思考融入繪圖中，能夠使具體形象思維與抽象思維結合起來，有助於孩子思考能力的發展。

讓孩子學繪畫，很重要的功用是可以提高兒童觀察能力，一個好的兒童繪畫老師，會訓練孩子視覺的敏銳性。老師要引導孩子對圖形的觀察、分析，比如要孩子畫小雞時，老師可以問小朋友：「我們來看看，小雞的頭是甚麼形狀的？眼睛是甚麼形狀的？還有翅膀是甚麼形狀？」孩子在經過觀察分析後，會產生興趣，也就會自己嘗試用他所學過的圖形組合成一個畫面了。

爸爸、媽媽可以經常爲孩子買一些內容新穎、圖片生動、色彩鮮明的兒童圖畫書或繪本，書裡生動活潑的圖畫，以及精彩的故事，都可以擴大兒童的感受力。父母也可帶孩子走向戶外，觀察不同的景象，讓孩子對周遭不同的事物有更深切的體驗及感受；如果能夠讓孩子拿起相機拍下景物，更可以讓孩子學習捕捉生活中的美好，或進一步的學習基本構圖與取景的要領等，這些都可成爲孩子作畫的題材。

其實，幼兒的圖畫應該展現幼兒天真、新奇、直率的本質。通常孩子的作品就是他們情感、思想和行動的顯現。他們表現的直接了當，想什麼就畫什麼，大人盡可能不要對孩子設限，即使孩子畫的車子不像車子，房子不像房子，那並不是孩子畫得不好，其實是因爲爸爸媽媽的思想太過僵化。

約莫三十年前，一個朋友的孩子，當時大約五歲。有一回，這小女孩拿了兩張她自己畫的畫給我看。一張標題是「車子」。可是在我眼中的畫裡，兩旁是高樓大廈，中間是一條二線道的馬路，怎麼看都沒有車子。我問她：「小惠呀！老師不是要你畫車子嗎？阿姨怎麼都看不到車子呢？」沒想到這小鬼靈精的回答竟是：「車子跑掉了呀！」當下，我真傻了眼，這不也是一種創造力和思考力的表現嗎？接著，我看到另一張畫了三條魚的畫，標題是「魚」沒錯。但是爲什麼兩條大魚中，一條塗得黑黑的，另一條充滿色彩，中間一條則是漂亮的粉紅小魚。小惠很開心的跟我解釋，她指著黑黑的魚說：「這是爸爸魚」，指著彩色的魚告訴我：「這是媽媽魚」，我問她：「那這條小魚呢？」她嫌我笨似的說：「當然是我囉！」

這就是兒童畫，它忠實反映了孩子的本質，假若大人急於培育一個速成的「繪畫神童」，可能會扼殺了孩子的創造力和思考能力。

幼兒的圖畫應該展現幼兒天真、新奇、直率的本質。

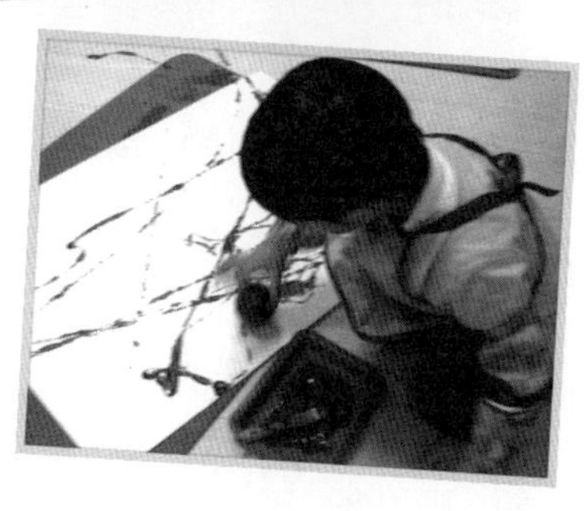

孩子的心理情況，也會體現在他們天真的畫作中。

幾年前，我在美國合唱團的學生皮皮。皮皮是一個長相非常清秀的小女孩，媽媽送到我們合唱團時，才小學一年級。聽說她在學校非常調皮，老師們都無法忍受，來到合唱團之後她的外在表現也令人感到十分棘手。我們怎麼都無法想像這麼清秀的小女孩，行爲怎麼會這麼乖張？聖誕節的演唱會，團長提議讓每個小朋友畫一幅畫，老師們票選出最棒的，放到節目單的封面。當老師們在選畫時，我赫然發現一幅色彩黯淡，讓人看了很不舒服的畫。一般來說，小學生的畫，色彩大多明亮開朗，怎會有這樣的畫呢？我看了背面寫的名字，原來是皮皮畫的。很明顯，這孩子心理一定有些不安或憤怒，所以外在表現才會有這麼多不合宜的地方。聖誕節聚餐時，皮皮的媽媽坐到我旁邊，她主動告訴我，她和皮皮的爸爸離婚了，皮皮並不知道爸媽離婚的事，因爲她一辦好離婚手續就帶皮皮到美國。

我終於找到皮皮問題行爲的原因。家長千萬不要以爲孩子年紀小，就覺得她對周遭的變化沒有感受。皮皮雖然不知道爸爸媽媽離婚，但她可以感受到媽媽內心的焦慮和痛苦。又因皮皮一到美國就進入美國學校上學，在學校與很多不同種族的同學相處時，語言不通，再加上很久沒看到爸爸，皮皮心中一定有很多疑問和不安。可是年紀小的孩子很難表達她的感受，所以她會表現在行爲中，也會表現在繪畫中。由此可見，兒童畫真的是孩子內心真實的體現。

孩子的繪畫是一項綜合性的活動，是理性與感性的綜合體。在繪畫啓蒙過程中，家長和老師都應以培養興趣爲出發點，並尊重兒童的特點，逐漸培養繪畫的基本能力，分層次提高繪畫的技巧，才是健康的兒童繪畫教育。

培養孩子畫畫的小秘笈：

★讓孩子學習畫出基本線條和圖形。

★引領孩子觀察畫作的作品，並教導觀察和分析構圖。

★切勿讓孩子以臨摹、模仿的方式學畫，以免抹殺孩子的創造力。

★家長要用接受的心「賞畫」。記得，孩子的畫是忠實反映他們的內心世界。

中國現代哲學家俞吾金說：「新世界是屬於創造者和開拓者的。」

荷蘭後印象派的畫家文森•梵谷 (Vincent Willem van Gogh)：「我夢想著繪畫，我畫著我的夢想。」

四、訓練才藝專長，培養獨處能力

對於孩子學才藝的議題，在此，我想請問各位爸爸、媽媽們：「花錢和時間給孩子學習才藝，目的是什麼？是希望孩子長大後，成爲另一個郎朗？是希望孩子長大後成爲另一個馬友友？還是希望孩子長大後成爲姚明或林書豪？」大多數的爸爸、媽媽會回答：「都不是。」他們都說：「我們只是給孩子多一點才能而已。」或者有人告訴我：「我給孩子學才藝，培養他的氣質。」還有一些糊裡糊塗的媽媽說：「反正別人在學，我們也學吧。」

無論是甚麼理由，我很少聽到家長告訴我：「我希望他長大成爲鋼琴家、NBA球星……」。既是這樣，學習才藝的目的，應該就是培養孩子的氣質、品格、內涵和修養，並且讓孩子能陶冶性情、強壯體魄……等。那麼爸爸媽媽們，何苦強扮「虎媽」、「狼爸」，把孩子快樂學習的機會剝奪了呢？

所有才藝，若不融入生活中，是無法達到學習那項才藝的目的。如果，爸爸媽媽讓孩子參加籃球隊，而孩子只有在團隊的練習時間運動，其他時間都自己關在房間，打電動遊戲，甚至連電視上的球賽都不看一下。那麼家長讓孩子參加籃球隊所預期的效果，是大打折扣的。如果，孩子學的是鋼琴，而家裡平日都聽不到音樂聲，甚至爸爸媽媽連帶他聽一場音樂會的機會都沒有。那麼，媽媽也很難期待孩子的氣質會得到改變。

以我個人學習成長爲例，我從小跟著外公、外婆聽音樂、看畫展，我的鋼琴啓蒙老師是媽媽，學音樂對於我，就跟吃飯、睡覺一樣，自然而然的存在我的生活中。我從來沒有刻意的練過琴，生活中卻也沒有離開過音樂。在我人生低潮時，音樂是我很好的心靈慰藉；在我人生高峰時，音樂又成了我的社交媒介之一。我想，這才是爸爸、媽媽們讓孩子學才藝真正的目的。

然而，華人家長有一種令我百思不解的心態。

很多華人爸爸媽媽，拚命帶著孩子南征北討，嚴格的要求孩子練琴或打棒球。有一天，孩子真的對音樂產生極大的興趣，在音樂方面的表現也非常優秀。孩子告訴爸爸媽媽說：「我大學想讀音樂系，將來要當音樂演奏家。」這時候，爸爸媽媽反倒緊張起來了。他們說：「音樂嘛！玩玩就好，不用當真，我看你還是趕緊準備考試，讀個醫學院，將來當醫生，比較實在些……。」奇怪吧！爸爸媽媽不是經常擔心孩子的才藝學不好，又沒興趣嗎？爲什麼當孩子真心喜歡上所學的才藝，想要成爲終身的志向時，爸爸媽媽反倒要阻擋了？

顯然，父母讓孩子學習才藝，並不是希望他們成爲音樂家、畫家或運動選手。但是，爸爸、媽媽們，何不讓孩子順著興趣走？若是他們針對所學的才藝有興趣，又有天分，也許以開放的心胸，接納孩子的選擇，並陪伴孩子往前面的道路走才是上策。說不定這個孩子就是下一個發光發亮的音樂家、畫家或球星呢！

家長們若想培育一個有深度、有教養的孩子，絕對不是只要孩子學校的課業成績，每科都考一百分就足夠了。還需要有計劃、有耐心的培養孩子的其他才藝。並且以開放的態度，接納孩子的興趣。如此才能讓孩子的一生，活得健康自在，活得高尚優雅。

任何才藝學習，都有助於培養孩子的氣質、品格和修養。但，如果家長讓孩子學習才藝是抱持著培養「神童」，或是「趕時髦」這樣不健康的心態，不但不能達到建立孩子品格和修養的目的，還可能會完全抹煞孩子的興趣和天分。建議爸爸媽媽們，讓孩子在自然、快樂中，順應孩子的興趣而學，才能達到學習才藝真正的效果。

而為什麼要學才藝呢？一個人去學某一種才藝，這代表了對這種才藝有興趣，對於自己有興趣的事，找機會學習，只是發揮自己才能而已嗎？當然不止是如此，學習才藝還有培養獨處能力的功用。人們在有能力和別人相處之前，必須先學會如何跟自己相處。能夠自在地獨自生活是一種能力，人若沒有能力和自己相處得好，又如何能跟他人相處好呢？以傳統的媽媽為例，大部分的母親都把自己一生的時間和精力耗費在先生和孩子身上，她們對家人所付出的愛，值得眾人頌揚。但是，孩子長大後，有了自己的生活目標，漸漸不需要母親朝夕的相伴。若先生又忙於事業，無暇在家。那麼，母親空下來的時間該如何自處？曾經忙碌的母親，有沒自己和自己相處的能力？此時的母親，如果能有才藝在身，那空出來的時間就可以充分發揮自己的興趣和特長，重新找回自我的價值，而不會陷入「空巢期」的孤單。這是學習才藝的另一項功能。

貼心的叮嚀

任何才藝學習，都有助於培養孩子的氣質、品格和修養。但，如果家長讓孩子學習才藝是抱持著培養「神童」，或是「趕時髦」……等計算而不健康的心態，不但不能達到養成孩子品格和修養的目的，還可能會完全抹煞孩子的興趣和天分。建議爸爸媽媽們，讓孩子在自然、快樂中，順性而學，才能達到學習才藝真正的效果。

第四課：品德，從「尊重」學起

每一個正直的人，都應該為維護自己的基本尊嚴而活著。

不管大人或小孩，不管男人或女人，每個人的內心，最強烈、最重視的是，別人如何對待自己的「尊嚴」？當自己的尊嚴沒有被認真地對待時，很容易產生沮喪、憤怒……等負面的情緒。可以說，每一個正直的人，都爲維護自己的基本尊嚴而活著。

但，當人們開始崇尚自由，自主意識逐漸抬頭，自我中心也越趨擴大，有人覺得：「只要我喜歡，有甚麼不可以？」這樣的思維無限上綱，只要我喜歡，是不是就可以搶，可以奪，可以因「喜歡」而踐踏別人的尊嚴？一旦別人反擊，自己的尊嚴又如何保得住呢？爲此，維護自己和別人的尊嚴，是一大課題。這必須從「尊重」二字說起。

尊重的範圍很廣，這裡從尊重、敬重彼此的「身體」開始談。「人」，會被認爲是「人」最基本的就是構成人形的身體；所謂「人必自尊而後人尊之，人必尊人而後人尊之」，我們若不能從尊重自己和他人的「身體」開始，學會「自尊尊人」，便無法成為有素質、有品德的「文明人」。

一、尊重，從認識身體開始

孩子的學習是透過自己的經驗而來，認識自己是認識世界的起點。從嬰兒時期，孩子就會藉由身體不經意的觸碰、從鏡子的反射，或是大人的擁抱、握手……，慢慢認識自己的身體。

認識身體並不是只有認識四肢五官如此簡單而已，這是孩子建立自信的重要步驟，也是發現自我與他人關係存在的關鍵。尤其是「學會尊重自己或他人的身體」，這不僅是性教育的一環，也是學會「尊重性別」的開始。

孩童從幼年期，就會在洗澡或上廁所時，察覺到男女性器官的不同，進而產生好奇心。父母面對此一狀況不但無須避諱，反而要好好把握機會，以生物的角度解釋正確的性知識。同時，無論男孩、女孩，一定要教導小朋友，這些地方是不能隨便給人觸摸的；如果有人碰到這些地方時，要趕緊讓爸爸、媽媽或信任的師長知道，避免無知的孩童被性侵。

當孩子逐漸脫離幼兒襁褓時期，進入小學階段後，接觸到的人際網絡也日漸複雜，有可能會因同學、兄姊、年長者、長輩的不當帶領，或是好奇心的驅使下，看到不雅的圖片或接觸到情色網站。爸爸媽媽當下可能會感到震驚，但可以藉機教育他們：「什麼是正常或可接受的行爲，什麼是不被允許的，甚至觸犯法律的行爲。」

通常六歲到九歲的孩子，尙未進入青少年的叛逆期，大多數的孩子都能聽從爸爸、媽媽教導的道德觀和價值觀；家長只需多陪陪孩子，敞開心胸與孩子討論正確的「性」觀念就可以了，不需要太緊張。但是當孩子進入青春期後，身體開始產生變化，爸爸、媽媽就需要多花些心思指導他們，多和孩子聊聊，並幫助他們明瞭自己身體經歷的變化是正常的，不需要感到不安。

至於比較早熟的孩子，可能已經開始和異性約會，或是透過網路交朋友。由於這個階段的孩子心思不夠成熟，對人容易缺乏戒心，加上青春期必然的好奇心和叛逆情緒驅使，血氣方剛的他們很可能陷入危險中而不自知。爸爸、媽媽或許會對孩子某些行爲無法認同，或不知如何化解因規勸而引發的親子衝突，但在孩子的叛逆心靈和危險行爲極有可能隨時發生的時刻，父母仍應隨時注意孩子的行爲、舉動及交友情形；

以鼓勵代替責罵，以商量代替教導，陪伴孩子度過難熬的「青春期」，才能讓孩子免於受到傷害。

有些比較敏銳或好奇心重的孩子或許會主動詢問一些令人尷尬的問題，爸爸、媽媽們不需要過度驚慌，就把這些問題當作親子互動的好機會。父母此時最好的回應方式，就是見招拆招，針對他們的好奇心來做回應；避免用說教的方式，或是故意忽略孩子的問題，更不需要顧左右而言他，試圖轉移焦點。大多數親子專家認爲：當遇到孩子主動詢問關於青春期的疑惑時，可依據年齡提供適合那個年齡該知道的資訊，不要提供給他們，他們沒有問到的資訊，也不要提供太少的資訊而讓他們大失所望，反而會激發孩子更多的好奇心。

「如何用較好的方式讓孩子了解自己的身體」是非常值得現代父母探討的議題。唯有先教會孩子認識自己的身體，才能讓他們學會尊重自己和他人的身體領域。

六、七歲的孩子有許多時候已經開始獨自面對各種環境，因此他們必須學會尊重和保護自己的身體。但，父母該用怎樣的方式來表達這樣的話題呢？

在我的教養經驗裡發現：最好讓小女生和小男生分開，由大人分別和他們講述「親密話題」。因爲身體是一個秘密又聖潔的殿堂，這些私密的話題，並不適合公然談述。尤其對似懂非懂的孩子，男男女女混在一起談「身體的奧秘」，恐怕引起更多沒有必要的好奇，而讓他們毫無界線的探索；更怕他們將這些私密話題，在不當的時間、不當的場合，在沒有正確的引導下當作話題「閒聊」，而有了錯誤的認知。

至於，如何引導小朋友尊重自己或他人的身體呢？我認爲可以用「隱喻」的方式，畢竟複雜的性知識對這個年紀的小孩來說太艱澀，比喻是孩子較能了解的方式。

六、七歲的小朋友，對自己所擁有又喜歡的人、事、物，都有強烈的佔有慾。所以，小朋友很容易把他們最喜歡的玩具、糖果、文具……等東西視爲珍寶，私藏起來，怕其他人碰觸它。如果，我們將身體重要的部位當作最寶貝的東西，以保護「珍寶」來比喻保護身體私密的重要，小朋友很容易就會建立「小心守護」的概念了。

有幾次，我看見小女孩把裙子掀得高高的，露個小內褲給別人看，她的天真無知令人擔憂。假使此時沒有大人糾正她，甚至把她當成小女孩「超萌」、「超可愛」的表現，那就無異於鼓勵小女孩不需注意自己私密處的保護！當小女孩有掀內褲給人看的狀況時，大人不需責備，比較妥當的處理方式可以說：「小薇呀！小褲褲給人看到囉！等一下裡面的『寶貝』被別人看到就糟糕了。媽媽有沒有跟妳說過，我們的寶貝是不可以給別人看到的？我們趕快整理一下，把它蓋起來，不要給別人看到了。」

或者，也可以這麼說：「媽媽告訴過你，身體哪些地方是妳的寶貝呀？寶貝怎麼可以隨隨便便給人家看到或碰到呢？隨便給人看到就不叫寶貝了，尤其不可讓男生碰它，男生如果要碰它，一定要記得跟他說：『不可以！不然，寶貝就壞了。』」

在跟孩子的互動中，用「隱喻」的方式假設一些情境，並且慢慢告訴她，她是怎麼誕生的：

妳是爸爸和媽媽因爲相愛而生下來的，當妳慢慢長大後，身體也會有變化；有了這些變化，就表示妳長大了，妳也可以生小寶寶了。妳是爸爸、媽媽最珍愛的寶貝，所以這麼美好的妳，應該只會和自己喜歡的男生一起有小寶寶吧？那麼，媽媽希望妳，在不確定那個男生是不是妳最愛的，就不可以讓他碰妳的寶貝。碰到怪叔叔時，尤其要特別小心，一定要勇敢、堅定的大聲跟他說：

「你不可以碰我！」

透過隱喻加上模擬情境的方式，讓孩子及早建立對身體自主權的意識，不但可以化解不知如何談「性」的尷尬，也能透過淺顯易懂的方式，讓孩子了解重要性。

現在的孩子因飲食慢慢西化，身心發育的都比以前早，要在女孩還未長成大人前，就讓她了解這些；如果等到發育時才教導，那就爲時已晚了。

現代父母的兩性教育任務，就是用孩子能理解、接受的方式，去認同自己的身體是多麼的珍貴，從小教育孩子學會愛自己，重視自己的身體，用這樣的觀念珍愛自己與他人的身體，必定會影響未來看待兩性關係的態度。

許多人以爲西方的「性教育」觀念較爲開放，年輕人也以爲這是流行先進的生活象徵。依我在國外生活多年，發現許多在開放式性教育下衍生的問題，因此我並不同意美國學校對性教育的態度。他們不教青少年說「不可以」，而是直接教如何避孕，提醒男生要隨身帶保險套，甚至很多高中校園都直接擺設了保險套的自動販賣機。但這都只是減少「生理上」的傷害，並沒有顧及「心理上」可能遭受的問題。

曾有個朋友的女兒小小年紀就未婚懷孕，幸好他們的家境還算不錯，有辦法把孩子生下來，自己照顧；然而，來日方長，若是未來這女生不喜歡這個男生了，或這男生離開了她，卻因爲有了共同的孩子而互相牽絆，又該怎麼辦呢？大好的青春還未展開，卻面對可能發生的人生難題，這是何苦？因此，在女孩還小的時候，父母親就必須灌輸正確的觀念，讓女孩們尊重自己、珍愛自己，了解身體是自己最珍貴的寶貝，是不能隨便和別人分享的。

二、男孩：我是紳士

至於小男生，也要教育他認識自己的身體。因爲身體構造不同，男生的侵略性通

「紳士風範」通常意指男性在行為、舉止和談吐上，都能表現出好的教養。

常比較強，從小要教導他和小女生相親相愛，並且懂得尊重女生。

有時聽到小男生在喜歡上小女生時，會天真的說：「我長大後要娶她當新娘子。」這樣的童言童語聽來可愛，大人除了哈哈大笑，也應該機會教育。

小男生對於喜愛的人，就像看到喜愛的小汽車一樣，說：「我好喜歡小薇，她像洋娃娃一樣漂亮，我長大以後要把他娶回家。」這時，媽媽可以問男孩：「娶回家要做什麼？小薇不是洋娃娃，更不是你的玩具，也不是你的小汽車。如果你欺侮她，她會不會難過？而且你對人家不好，人家也不會喜歡你，人家也會討厭你。如果妳真的喜歡小薇，當你有一天可以娶她回家時，一定要保護她、疼愛她、對她好，不可打她、踢她喲！」

家長們應該經常用比喻的方式引導男孩們，時時耳提面命，從小養成尊重女生的好品格。

很多小男生因爲受到一些漫畫的影響，或是因爲覺得好玩的心態，喜歡偷掀女生的裙子。當小女生已經知道裙子內所藏的是自己最珍貴的寶貝，不可以隨便給男生看到，對男生掀裙子的動作就會感到非常不舒服。於是，使得一些女生從此不敢穿裙子；就算穿裙子也必定會穿上一條安全褲，謹慎又不自在，就怕被別人看見。小男生也許只是基於好奇、好玩，但是隨便掀女生的裙子，讓女生感到不舒服，甚至成了一輩子的陰影，這就不是「尊重女生」的紳士了。

非常多年前，我曾去拜訪一位老同事，當時她的孩子還很小，正在長牙，就跟兔子、老鼠般發癢，會到處咬東西，甚至咬人。結果她竟然在我面前做了一個行爲——這位媽媽咬了她的孩子。當時我還沒有孩子，不大了解爲什麼我的朋友要這樣做，只覺得這樣的行爲很幼稚；問朋友原因，她告訴我：「我要讓孩子知道，我咬他，會讓他痛，只有自己痛，才會知道別人也會痛。」這正是「己所不欲，勿施於人」的道理。掀裙子的小男生也是把自己欺負人的快樂，建築在小女生的痛苦上。所以，爲人師長要經常提醒小男生：「不可以隨便對女生動手動腳，女生說不可以碰她的地方，你就不能去碰。因爲，那樣會讓對方不舒服。」

除了身體的尊重，言語的尊重也同樣重要。有些孩子總是把粗話掛在嘴邊，特別是男生。如果想要培養自己的孩子成爲小紳士、小淑女，爸爸、媽媽就要盡快導正這樣的言語。

「媽媽剛剛聽到你在電話中跟同學講粗話喔！你從那裡學的？你知道這句話的意思嗎？說粗話會讓別人很不舒服，也會讓別人認爲你沒有教養，不自重也不尊重別人，這行爲不好，以後不要再說了。」確實，孩子在成長的階段，會經歷一段喜歡挑戰言語禁忌的時期，有些教育學者會建議父母淡化處理，輕鬆看待，孩子自然就會減少這樣的狀況。但是如果孩子老是說粗話，讓周遭充塞不好的氛圍，也直接影響他的人際關係，更會突顯自己「沒有素養」和「粗俗」。說粗話通常是在一種盛怒之下情緒的表達，常常會因爲沒有被糾正，而不知不覺成了「口頭禪」。此時，爸爸、媽媽可以引導他們，認識發洩情緒的方法，知道生氣時有其他較適當的表達方式，不一定要用說粗話來發洩。或者可以把髒字轉成其他字眼替代。

不過，近年發現：小孩說粗話，其實跟父母身教言教有關，也和周遭環境有關。如果，大人們自己都滿口粗話，我們要如何教會孩子「不說」粗話呢？所以，各位長輩們也應該要提醒自己，隨時注意口舌。不要說出汙穢的言語，以免天真的孩子們不知不覺的學習了這些壞習慣。那豈不枉費望子成龍、望女成鳳的努力？

曾有個長輩對我說過：「高尙的人說哪種語言都高尙，粗魯的人說哪種語言都粗魯。」培養涵養與氣質，不論使用那種語言，說話的內容和態度才是重點，這是對自己的要求，也是自尊自重的表現，更是一個希望成爲有素質，有品德的人，需要好好學習的功課。

「紳士風範」通常意指男性在行爲、舉止和談吐上，都能表現出好的教養。也就是說，男性不會做出「失禮」的事，並且談吐高雅、見多識廣、說話得體、懂得尊重女性、懂得爲女性服務、人際關係良好……等等。

有人說：「優美的姿勢，
勝過美麗的臉孔」。

有人說：「優美的姿勢，勝過美麗的臉孔」，對一位紳士來說，站有站相、坐有坐相、走路有走路的樣子，服裝即便再名貴，要是姿態不優美，也是無法給人好印象，因此紳士首先要注重如何擺出優美的姿勢？

首先，頭及背部要保持挺直，放鬆肩膀的力量，收緊下巴、伸直背肌、挺胸、收小腹、伸直手指在前面輕輕交叉，或自然垂在身體兩側。第二個重點，身體的重心擺在肚臍附近，腳跟併攏，伸直膝的背面，膝蓋不分開，雙腳確實併攏。

男性走起路來至少腰背要挺直，不能像女人一樣，走路時「搖曳生姿」，看起來很「娘」，沒有英雄氣概。而男性展現優美的走法，應始於優美的站姿。一個人走路的樣子，也能表現出一個人的品性，氣宇軒昂的走相，別人看起來也會感到很舒服。

所以走路時，注意身體不要左右搖晃，手臂也不要大幅擺動，否則看起來像在行軍，手臂不小心碰到旁人，可能會遭來白眼。腳要從腳跟確實著地，然後再把體重慢慢移到腳尖，雙眼注視前方約四公尺遠處行走，不要低著頭，讓人有沮喪的感覺，看起來沒精神。坐像當然也要挺直腰桿，敬禮不用太卑躬屈膝，與人交談時，要用誠懇的眼神與對方交會，不要閃爍，開門關門不要太用力，用力摔門是粗魯的行爲，並非英雄氣概的展現。

關於談吐，「紳士」也必須具備見多識廣、談吐優雅的風範。多讀書、多吸收新

對一位紳士來說，站有站相、坐有坐相、走路有走路的樣子。

知是增廣見聞的不二法門。旅行當然也是開拓視野的好方法，但是很多人旅行時，只顧著照相證明「到此一遊」，或瘋狂購物，並沒有深入了解旅遊當地的政治、風土、民情等較細部且深入的觀察，那就失去了「行萬里路勝讀萬卷書」的意義了。

至於談吐方面，除了口不出「穢言」、「粗話」外，培養自己的內涵，讓自己言之有物，具有出口成章的能力，這些都是紳士們該努力的目標。然而，言之有物、出口成章的基本功，還是建立在多讀書和吸收新知上面。

西方的紳士風度，有一項重點表現在「女性優先」。現場若有女性，無論是妙齡少女或中年大嬸，男性朋友都要展現紳士風度，為她們服務。最常見的是為女性朋友拉椅子，讓她坐下。天冷時，幫女性朋友穿、脫外套……等等。這和重男輕女的中國文化有極大的不同。因此，大多數的爸爸們，也得先適應「服務女性」的紳士風度，小朋友才會以爸爸為典範，向爸爸學習成為「紳士」的功課。

培養小紳士的秘笈：

★老師或家長要隨時提醒小男生為女生服務。

★爸媽要多多帶著小朋友旅行，並在旅行中和小朋友一起了解當地的風土、民情、文化。

★爸爸、媽媽每週找一本不同題材的兒童書，陪孩子閱讀，並分享書的內容及看法。

★家庭中，隨時保持歡樂氣氛，可以奠定培養幽默感的根基。

三、女孩，我是淑女

什麼樣的女子能稱爲「淑女」？是外表光鮮亮麗？是走路婀娜多姿？還是外在有什麼特徵？會讓我們稱一位女生爲淑女呢？上述兩項當然都涵蓋在淑女的條件中，但真正的淑女，不僅止於外表出眾；儀態、談吐、舉止、思維和行爲習慣上，具有獨特的內涵和魅力，才能自然流露出女人純潔與真誠的人格特質。

「關關雎鳩，在河之洲，窈窕淑女，君子好逑」，可見一個具淑女風範氣質的女性，是多麼的令人喜愛。

據說對於初次見面的人來說，只要六秒就能決定人的第一印象。這裡所謂的「第一印象」，決不單單取決於長相、身材，其實「舉手投足」整體的氣質才是最大的關鍵，所以想成爲一位有素養的淑女，平常就要學習各種禮儀，注意一舉一動，增添更多優雅的內涵。

淑女們想要舉手投足都能散發高雅氣質，最基本的姿勢訓練是提升自我魅力不可少的功夫。學習調整坐、立、行、走各式姿勢，例如讓身體挺直，就能給人一種知性、俐落的印象。女性朋友不妨每天花半小時練習：

其一，把身體靠牆站立，頭部、肩部、臀部、小腿肚、腳跟、都緊貼著牆壁，讓

對於初次見面的人來說，
只要六秒就能決定人的第一印象。
「舉手投足」整體的氣質是最大的關鍵。

腰部與牆壁間空一顆拳頭的空隙。

其二，上半身挺直，頭抬高，想像頭頂有一條繩子吊著；挺起胸，兩肩放鬆，同時縮小腹，收下巴，眼睛直視前方，夾緊雙臂，前臂微微抬高。

其三，站立五分鐘後，再將雙手緊扣，向上伸直做拉筋的動作，反覆五回，一次拉三十秒。

最後就是接下來再重複站立的訓練。

如此自我練習，便會慢慢成爲下意識的動作，隨時讓姿勢保持筆挺。

老一輩的人常說：「站要有站相，坐要有坐相，才顯出教養來。」站立時，保持上半身挺直，不要駝背、歪頭、身體搖來晃去，這些動作會讓你看起來頹廢輕浮。不論你在什麼地方，即便是在街上散步，或是在公車站等車，不要認爲：「反正也沒人會注意我」就完全放鬆。無論當下有沒有人，爲了培養淑女的儀態，可以想像隨時隨地有很多眼睛打量妳，必需表現出優雅的姿態，若能長期堅持下去，就內化成爲習慣了。

淑女坐姿美麗的秘訣和站姿一樣，需要隨時保持腰桿挺直，千萬不要將背部癱在椅背上，椅子不要全坐滿，只坐1/2或1/3即可，這會比較容易讓身體保持直挺的姿勢。特別要提醒淑女們，坐的時候不要大大地張開雙腳，那是非常不雅觀的。妳可以雙膝、雙腳併攏，也可翹腳，採正面平放或斜擺姿勢，來展現淑女的優雅。

把身體靠牆站立，
頭部、肩部、臀部、小腿肚、
腳跟、都緊貼著牆壁，
讓腰部與牆壁間
空一顆拳頭的空隙。

除了模特兒和軍人，多數人並不會很講求走路的儀態；但如果眼前來了一位相貌亮麗、氣質高雅的女人，卻忸怩作態的走來走去，大家一定會為她不雅舉止感到惋惜。

當一個女孩走路姿勢優美，身材的比例讓人看起來都會比較舒適。保持正確姿勢，背部挺直，抬頭挺胸，移動步伐時，想像雙腳夾著一條線，看起來會更輕盈優美。隨時要求自己用正確姿勢走路，既可有出眾的儀表，還可矯正脊椎，獲得健康呢！而淑女們還要特別注意，不要一邊走一邊吃東西，那樣的舉止非但不優雅，也有失風度。

氣質是人情感和情緒整體表達的樣態，淑女不是要當「冰霜美人」，更不是板著一張臉不與人交談，一個隨和有氣質的淑女，見人一定會主動打招呼，微微點頭，短短的幾秒讓人如沐春風，會給對方一種優雅的印象，也會讓人感覺舒適。在生活細節中，還是有許多訓練可以幫助我們提升氣質。

以儀態來說，淑女敬禮時，背要挺直，脖子不要彎，只要傾斜上半身即可。上半身傾斜的速度要拿捏好，彎的時候要快，收的時候要慢，這樣才能顯出敬意。敬禮的時候也要注視對方的眼睛，有些人邊走路，邊向人敬禮，要先停下腳步敬禮才能表現誠意。

至於敬禮的角度該如何拿捏?若是基本禮儀，上身只需彎腰15度角即可，算是輕微的打招呼，用於和他人交錯而過時使用；若是彎腰30度，就是一般的打招呼，用於

坐的時候不要大大地張開雙腳，
那是非常不雅觀的。
妳可以雙膝、雙腳併攏，也可翹腳，
採正面平放或斜擺姿勢，
來展現淑女的優雅。

道謝或道歉時使用；想要高度表達心裡的敬意及感謝之意，彎腰的幅度就要到達60度。

淑女的開門與關門

很多年前電視播報了一則新聞：有位台灣政治圈公認的美女，跟著一群怒氣沖沖的男性政治人物，跑到法務部長辦公室門口去抗議。因部長堅持不開門，惹得這一群人更加憤怒。男性們只敲門、推門，但這位美女卻率先給了一腳，直接踹開部長辦公室的門，還因此鬧上法院。這件新聞在電視上喧騰好一陣子，雖然部長的門被強迫打開了，但這美女的淑女形象也破壞殆盡。

門的開與關，只是一個小動作。卻是一個人修養的展現。無論有多憤怒，都不可拿門出氣，用力摔門是非常粗魯的表現，更何況用腳踹門。

當淑女要進入辦公室時，必需禮貌性地先敲敲門，即便是自己的辦公室，也是一樣，爲的是避免撞見可能會令彼此都尷尬的場面，這也是對別人的一種尊重。敲門的方式，最好用手指的關節輕敲三下，不要用手掌拍門，或拳頭捶門。而關門時，應握住把手輕輕推門而入，然後轉身輕輕關上，不能背對著屋裡的主人關門。不管是開門或關門，若是手裡拿東西不方便時，可以先把東西放下來，再把門打開或者把門關上，也可以請別人來幫你的忙，做爲一位淑女，絕對不可用腳或膝蓋來幫忙。

我在美國曾參加一個關乎我職場上非常重要的面試。當天有許多人應考，卻只錄取幾名。我的英文程度沒法跟真正的美國人相比，年紀也已近半百，無論主客觀條件，都沒有贏的勝算。但是我謹守一個「讓人喜歡我」的原則：穿著整齊、保持笑容，謙恭有禮。進試場時，先輕輕敲門，等主考官傳喚我進去時，才輕輕開門，再輕輕關上門。每一個小動作都注意保持優雅的形象。結果，我被錄取了！

其實，很多面試前，主考官已經看了基本資料，當通知面試時，勝負經常在開門那一霎那間見分曉。可見淑女們的開門、關門這樣的小動作，是十分重要的。

淑女，衛生間的禮儀

多年前去亞洲某個小城市旅遊，上公共衛生間時，以爲跟歐美或台灣一樣，只要門沒上鎖，就是沒人使用。所以，我順手拉開廁所的門，沒料到裡面竟有一位中年婦女正在使用衛生間，讓我好尷尬。原以爲那只是個案，而且中年大嬸比較沒見世面，才會有那麼奇怪的行爲。但是到了下一站，我依然碰到同樣的狀況，這回不是中年大嬸，而是一位打扮入時的妙齡女子，她如廁時不僅不上鎖，還門戶大開。之前我以爲是門鎖壞了，所以門沒鎖上，後來問了當地人，才明白這是普遍的習慣問題。

淑女們如廁時，請切記一定要鎖上門。如廁是將妳體內的廢物排出體外，不只氣味難聞、動作不雅，而且門戶大開，讓私密處給陌生人看見，這是不尊重自己，也是對別人的不尊重。

廁所禮儀的表現，不只是衛不衛生的問題，那是一種文化，是社會文明的標準。每次我到國外旅遊時，第一個要看的，就是當地的公共廁所。因爲從一個國家公共廁所的表現，可以瞭解當地人民的文化水準。

同樣的，去餐廳吃飯，我也喜歡看看那家店的廁所文化，從廁所的整潔度，可以判斷那家店的管理者用不用心。二〇〇五年，我去北京參訪時，有個朋友帶我去一家餐廳用餐。用餐前，我習慣先到衛生間，將雙手洗乾淨。以當時北京的大環境，那家餐廳衛生間的乾淨程度令我訝異。不但洗手檯清潔乾爽，鏡子也擦得明亮，地上更沒有一點紙屑。忍不住主動詢問這餐廳的經理。才得知他曾在世界著名的五星連鎖酒店服務過，果然是有訓練過的，從廁所環境便可看到這餐廳的素質。

然而維持衛生間的整潔，不僅是清潔人員或管理人員的責任，更多時候是使用者的責任。淑女們不僅要發揮公德心，更有責任維護衛生間的清潔。很多女性在使用座式馬桶時，爲了怕座墊不乾淨，不願意坐在座墊上，於是使用站在馬桶上半蹲的方式如廁；事後又不用衛生紙將腳印和濺出的穢物擦拭乾淨，把座墊弄得很髒，不僅接下來的使用者不知如何是好，也增加了清潔人員的工作負擔。

女性朋友因為生理的關係，通常如廁後需要用衛生紙把周圍擦拭乾淨，生理期間使用過的衛生棉，應該先將它包好再丟到垃圾桶。很多公共衛生間都會貼出公告，請使用者不要把使用過的衛生紙、衛生棉丟入馬桶。但是很多女性朋友卻有垃圾桶不丟，胡亂丟在地上，造成髒亂。

有些人洗手，就把整個洗手台弄得好像剛剛發生水災似的，到處都是水漬，還要勞駕清潔人員再來擦拭一次。或者洗完手，喜歡把手胡亂甩來甩去，水都甩到旁人身上，自己還不自知。更有的人邊走邊甩手，把地板弄得濕淋淋的，不僅容易讓人滑倒，也會造成地板的髒亂。淑女們可以在洗完手後，利用公廁的烘手機，或紙巾把手擦拭乾淨。如果衛生間提供紙巾，擦完手之後，可順道將洗手台也擦乾淨。

以上這些廁所的禮儀，其實只是舉手之勞，一個淑女只要有一點細膩的心，有一點生活美感和對別人的關懷，就可以展現淑女的風範和修養了。

培養小淑女的秘笈：

★媽媽和小女孩，經常要有「約會時間」，帶小女孩到餐廳用餐、逛街或看場電影，在公共衛生間內，由媽媽做出示範，讓小女孩從小養成淑女的公德心。

★當小女孩發怒摔門時，一定要立即制止，並等孩子心情平靜後，再請她輕輕開門、輕輕關門，重複做幾次，然後告訴她，摔門是不好的行爲。

★隨時提醒小女孩的坐姿和站姿，那不僅關乎孩子的教養，也對孩子正在成長的骨骼有很好的幫助。

貼心的叮嚀

無論是紳士或淑女，最基本的風範都是要有一份體貼的公德心，也要有高雅的談吐、優雅的儀表和寬廣的見聞。爸爸媽媽在培養孩子成爲未來的紳士或淑女時，必須時時提醒孩子，引導孩子多一份公德心，在生活上做一個有教養的孩子。也要帶領孩子增廣見聞，提供孩子一個快樂的成長空間。這樣才能真正成爲高雅、體貼又多聞的小紳士、小淑女。

「尊重自己，尊重他人」是成爲「紳士」、「淑女」的第一項功課。家長可以在每天晚上，用十五分鐘與孩子回憶一天所發生的事情，檢視自己是否有不尊重他人或自己的事？並且分享彼此的心情和做法，同時藉此機會和孩子立約，提醒明天不再犯同樣的錯。重複不斷地提醒孩子自重和尊重他人的觀念，每天如此操練，便能輕鬆跨出成功的第一步。

三 父母的功課

培養孩子成爲小紳士與小淑女，父母們的功課是，可以請小朋友一起來當糾察員，爸爸媽媽可以爲孩子準備七張有下列項目的表格的紙，讓小朋友每天檢查家裡的廁所，是否乾淨？七天後，請爸爸和媽媽和孩子討論，家裡的廁所是否還有進步的空間？爸爸媽媽也可就其他項目設計評量表格，讓孩子當糾察員自我檢查，經過這些自我檢查的過程，小朋友將會對不好的行爲有所警惕。

「只有尊重自己的人，才會尊重別人。」——亨利・詹姆斯（Henry James，十九世紀美國知名作家）

「一個具有足夠自尊的人，總是更有信心、更有能力、更有效率。」——阿爾弗雷德・阿德勒（Alfred Adler，十九世紀奧地利心理學家、著名醫學博士）

日期：			星期：		
項目	非常乾淨	稍微乾淨	乾淨	稍微髒亂	非常髒亂
洗手台					
鏡子					
浴缸或淋浴間					
馬桶					
垃圾桶					
地板					

第五課：領袖氣質從小事培養起

培養孩子成為一位能領導眾人的領袖，最基本的就是培養孩子的獨立思考能力。

一、領袖氣質，從獨立思考開始

所謂領袖，就是一個人具備了獨立思考的能力，也具備了解他人問題的能力，能掌控並處理問題，使問題的結果得出眾人的最大利益，眾人因此願意服從他的指令，這是成爲一位領袖的基本要件。

想要培養孩子成爲一位能領導眾人的領袖，最基本的就是培養孩子的獨立思考能力。一個有能力領導眾人的人，必須有能力發號施令，而發號施令的結果又要使相關的人得到最大的利益，所以如何培養孩子有自我的想法，有正確的思維和做正確的事，是很重要的。又，家長或師長該給孩子什麼樣的成長空間？是否什麼事都幫他決定？有沒有給予獨立思考的訓練？都和培養孩子的領袖氣質有絕對的關係。

培養一位好的領袖人才，父母必須從孩子小的時候，就適時給予關愛、時時和孩子說話，也要及時放手、多傾聽孩子的心聲，對日常所遭遇的種種問題，盡可能爲他講解其中道理，讓孩子明白如何分析問題，如何解決問題。也要培養孩子，了解自己及他人特質的能力；更要懂得了解自己並隨時修正自己的缺失；能了解他人，知道別人的性格與才能，將來有機會才能用人惟才。

西漢開國主劉邦是一個很好的例證，也許他的學識並不好，甚至是一個無賴。他的能力也不強，對於國家的施政和如何打敗群雄、開疆闢土也沒有好策略，但他懂得運用賢良，而人才也願意爲他效力，由於了解人，知道什麼人適合擺在什麼位置？做什麼事？只要人才擺對了位置，自然能發揮最大的效益，才建立了一代漢朝，而更重要的是，這些人才也樂於爲他所用。這就要全歸功於他的領袖特質了，他知道每個人的優點、缺點在哪裡，並且注意和照顧每個人的感受，讓這些人才深有倍受重視的感覺，才能不計一切陪著他奮鬥建國。

普天下的父母都希望自己的孩子，不論在哪個場合都是人見人愛，處處受歡迎的人物。但要得到每個人的喜歡，不是那麼容易。即便是毫無缺點的人，這個世界上總還是會有人對這個人有意見。無論做得再好，甚至到處去奉承、討好別人，也不見得會得到全世界的掌聲。但至少我們可以讓孩子有獨立思考能力，能分辨是非，堅守自己的原則與立場，有守有為，做一個有尊嚴的人。

二、清楚定位，不奪人光彩

華人文化裡，總有人喜歡在聚會時把場子炒得熱熱鬧鬧，但想炒熱場子，千萬注意不要主客易位、奪人光彩，應學會看場合行事，怎樣的場合該做怎樣的事，要有規矩與分寸。比如說，我是學音樂的，經常會有機會在台上表演鋼琴彈奏，在台上我的「音樂」就是這個場子的主角。按理說，來做客的應當就安份地在下面欣賞聆聽，但有些人就偏偏搞不清楚這個場子誰是主角，在下面「哇啦哇啦」大聲說話，或者發出各種噪音、椅子的聲音、拿物品的聲音……等等噪音吵得蓋過台上的音樂。

另外，華人喜歡唱卡啦OK，點歌的朋友正唱得盡興，卻有人在下面搶唱，唱到忘我，不清楚真正的主角應是台上那個點這首歌的人。

不受人歡迎的還有一種就是在新人的婚宴上惡搞、喧賓奪主。結婚是人生的大事，卻硬生生讓「討厭鬼」給搞砸了。婚禮中，只有新郎及新娘才是主角，其他人都只是幫襯。即便是被邀請擔任婚禮的司儀，最重要的責任仍是要幫助新人完成整個儀式，讓婚禮可以成爲他倆此生難忘的回憶；如果主客易位，司儀在婚禮的場合自顧自的表現，把婚禮當作個人秀，或用言語惡整新人或新人的父母，以此來取悅賓客，心中只想讓大家的眼光都專注在自己身上……，這不但是一個失職的司儀，也是非常沒有禮貌的行爲。

出席的賓客到場是來捧場及祝福新人的，卻在婚宴中上標新立異、特立獨行，甚至「語不驚人死不休」，把屬於新人的光彩全攬到自己身上來。或者，自己明明只是伴郎、伴娘，或來吃喜酒的來賓，卻不識大體，把自己裝扮得像國際巨星，光彩壓過新人，讓人丈二金鋼摸不著頭腦，質疑今天的新人到底是誰？這些自以爲是的行爲，都會成爲令人不舒服的賓客。

每件事情、每個場合，都有主角或主要的負責人。他們負擔了所有的責任，也該享受所有的光環。如果「配角」或「幕僚」、「協助者」，不明白自己是「綠葉」的角色，偏偏想強出頭或搶掉主角光彩，注定要成爲不受歡迎的人物。一個人清楚自己的定位，扮演該扮演的角色，是一種修養也是氣度，只有擁有自信的人，才能成全別人的光彩，爲別人的榮耀真心喝采，也只有真心把榮耀歸給該得的人，才能以德服眾，成爲眾人的領袖。

三、幽默是領袖必修課

領袖有如一家之主，家長幽默，妻子兒女們也跟著開心。但如何培養孩子的幽默感，是成爲領袖的必修課。

什麼是幽默，英國人以爲幽默是貴族的血液，不是一般人能懂的，最早把幽默(Humor)一詞翻譯成中文的人是林語堂，他以爲：「幽默就是幽幽地聽，默默地想。」意思是說話人的言外之意，讓聽者想了之後得到有趣的新意。也就是聽到的人會將說者的話，變成一種笑話，令人心情愉悅而發笑，時下的腦筋急轉彎也算一種幽默。而美國人以爲幽默是「善意地提醒別人的短處，和對方一起發笑，或者主動展現自己的短處讓別人發笑。」

美國總統雷根曾經被槍擊重傷，子彈貫穿胸部，在生死交關當下，對趕來探視的夫人說的第一句話是：「親愛的，我忘記躲開了。」由於他的幽默，化解了倍受驚嚇夫人的憂心和大眾的不安，將事件的傷害程度減到最低。

雷根，以幽默聞名的一位「不正經」的總統，在他任內或多或少甚至用了他幽默智慧，拯救了被伊朗關押的美國人質，解體了龐大的對手蘇聯，甚至振興了美國經濟。他是到今天爲止美國人公認最幽默的總統，可見真正的幽默要建立在智慧之上，搭配了能力和謙卑可以成就領袖的霸業。

另一位以幽默聞名的是英國的邱吉爾，在一次公開演講上，邱吉爾收到台下遞上來的紙條，上面寫著「笨蛋」二個字。邱吉爾知道是反對者故意讓他出糗，他卻輕描淡寫地說：「剛才我收到一封信，可惜寫信的人只記得署名，忘了寫內容。」面對難堪，邱吉爾不但不生氣，還反將對手一軍，幽默需要智慧與臨場反應做後盾。

幽默原是人際關係中，非常好的利器。但是惡意的幽默，則變成傷害別人的武器。有一種人，大家避之唯恐不及。我曾經在一個社交聚會中，碰到一個美豔、有名、有錢的貴婦。她一到場，立刻加進我們正在聊天的小圈圈。不久，這貴婦突然像發現新大陸似的說道：「哎呀！Stacy啊，看妳耳上戴的這對耳環真是漂亮極了，妳是在哪裡買的？我告訴妳啊，昨天我在Walmart看到一個跟妳那對一模一樣的，才七塊錢美金耶。」被說的那個姐妹臉都綠了。

人與人之間的相處，不要總是想占人便宜，非得踩著別人的痛處往上爬，把別人比下去才覺得快活，這種罵人不帶髒字，教人特別難堪的說法真不可取，更不是幽默。因爲這位貴婦惡意的幽默，在場的姊妹們立即將她列入「不受歡迎」的行列了。

有許多取笑別人，還沾沾自喜以爲幽默的說法：「嗨！May，妳這身衣服很漂亮，我也有一件耶，前天才在夜市地攤買到的。」還有人說：「喔！Rick，你身材不錯啊，這衣服穿起來很適合你耶，像極了貓熊。」一說完，被取笑的人臉上一定尷尬又無奈，這樣的表現令他人，也令自己難堪。惡意又沒有智慧的幽默，絕對得不到好人緣。言語就像是一把刀的兩刃，當我們用真心去讚美別人，它就會帶來真誠的友誼，以及圓融的人際關係；用取笑別人來成就自以爲是的幽默，既傷別人的自尊，也會讓其他在場的人領受你的「刻薄」。有修養的人就算被取笑，大多不會直接表達對這種言詞的厭惡，通常默然不語，但以後一見你就躲，因爲沒有人想和不懂將心比心，老愛揭人短處的討厭傢伙做朋友。

如果有家長是如此無理的幽默，那他們的小孩也一定會有樣學樣。一位朋友轉述，不久前她參加同學女兒十八歲生日 party。但餐前的壽星儀式拖得太久，有些受不了餓的親戚朋友，就問主人：「是否可拿點桌上的零嘴先解解饞？」主人同意後，有人就先去攏滿佳餚的長桌上拿零嘴吃了。

我這朋友也去拿，剛好看到一個小男孩在偷吃主菜，他看到我朋友來，馬上把菜蓋起來假裝若無其事，跑到旁邊沙發躺著，等我朋友拿了桌上的洋芋片正要塞入嘴裡時，小男孩突然冒出來，站在她的旁邊，很詭異的一笑，然後大聲嚷嚷說：「妳正在偷吃喔！」我朋友覺得很尷尬，雖然主人有同意，但覺得自己幹麻不多撐一下?之後這孩子見人就說「她剛剛有偷吃喔！」爲了這一口洋芋片，讓這孩子這麼到處說，她感到有點氣忿，很沒面子，但這孩子覺得這樣惡意的取笑她很好玩。遇到孩子把捉弄別人當成遊戲時，孩子對於所做所爲是對是錯，應該沒有自覺，這時候關鍵是父母怎麼透過這個行爲教導孩子，讓孩子明白爲了好玩去傷害別人的是不正確的，也可藉機教育孩子，不管你怎麼說，也不管你說了什麼，幽默的重點是，不傷害別人又令他人開心。唯有令人開心的結果，才是幽默的基本境界。

英國人以為
幽默是貴族的血液，
不是一般人能懂的。

四、節儉，還是貪小便宜？

節儉是美德，但節儉到令旁人不舒服，那就不是件好事了，在別人眼裡什麼便宜都想佔的人，很難有好的人際關係。

有一天，我和幾個姊妹淘去一家高級餐廳用餐。這家餐廳以服務聞名，除了服務人員的態度無可挑剔外，餐廳也為顧客準備的許多貼心小物品，包括飯後有些人需要清理牙齒，這家餐廳不提供一般的牙籤，而是在衛生間貼心的放一盒「牙線如意棒」，供需要的客人使用。

飯後，幾個女人一起到衛生間，補妝的補妝，上洗手間的上洗手間，其中一位友人拿起免費供應的牙線棒開始剔牙，一面剔一面看盒子裡的牙線棒說：「這牙線棒很不錯，還免費的，把它拿回家吧！」然後當著我們的面，把盒子裡的牙線棒拿個精光。其實，一支牙線棒才多少錢？她絕對買得起，不需如此貪小便宜，把餐廳提供給大家的「方便」據為己有。這樣的行為，不僅叫人錯愕，也會讓人對這位朋友產生負面的評價。

有些愛貪小便宜的人，每到一處高級的飯店或是公共場所，就把原屬公家的物品隨身帶走。常見到上完公共衛生間後，直接把公用的衛生紙整卷拆下來帶走。衛生紙、牙線棒都不是很貴的物品，卻是公共場所提供給使用者的貼心服務。當你全部拿走後，別人就沒得使用了，貪這種小私利，造成他人的不便，是非常不好的行為。

出差、旅遊、出國時，我們經常會住在外面的旅館或酒店，客房裡某些小的消耗品，如：牙刷、牙膏、肥皂、洗髮精、原子筆、信紙等，是可以帶走的。但是像毛巾、浴巾、壁畫等，這些非一次性使用的物品，千萬別順手牽羊。貪小便宜的人，連不能帶走的物品，也偷偷帶走，這不僅有偷竊之嫌，即便酒店事後不計較，難保下次不會被列為「拒絕往來」的客戶。

常常在搞笑電視劇中，看到這樣的情節：

某人跟朋友說好，他要請這一餐，可是等到要付帳的時候，說要請客的人，到了櫃台邊，找遍全身上下，也掏不出半毛錢，最後還是他朋友成了救火隊幫他代付，這個人心裡卻暗喜：「嘿嘿！我又白白撈到一餐了。」現實生活中，也常碰到這樣的情節。請客的朋友忘了帶錢，被請的只好付錢。其實，說是要請客的朋友，不見得是「故意」忘了帶錢，幫忙付錢的朋友，也不見得會斤斤計較；但是如果常常發生這樣的事，就會讓人覺得愛貪小便宜。下次朋友也沒興趣再接受你的邀約了。

另一種人更惡劣，到處跟著別人白吃白喝，從不回請他人。通常，別人請你十次，最少也得回請他人一次，也許大家不是這麼在乎這種事情，但最好這樣要求自己。倘若經濟狀況不是可以經常回請他人，以我的個性來說，就會儘量減少參加類似的社交活動，至少別人的感覺不會太差。

大人貪小便宜不可取，小孩子從小養成貪小便宜的習慣更糟糕：

有一天，小賢從超商買了一包洋竽片，一邊走一邊吃，迎面碰上同學小武正在街口等朋友，「嘿！小武，你在這裡等誰啊？」小武說：「我在等阿華一起去張老師家。」小賢：「喔！去張老師家做什麼？」一向貪吃的小武，眼睛老早就緊盯住小賢手裡的洋竽片，竟忘了回答。小賢再問：「嘿，小武，我在問你呢？你們去張老師家做什麼？」這時小武才如夢初醒：「喔！沒什麼，張老師找我們去他家玩……」小武眼睛看著小賢手上那包洋竽片，忍不住說：「小賢，我早上沒吃飽，你的洋竽片給我吃一點，好嗎？」愛惜朋友的小賢給了小武一把洋竽片，沒一會兒小武就吃完了，又開口要：「喔！這洋竽片好好吃啊！我還是覺得有點餓耶，可以再給我幾片嗎？」沒十分鐘，小賢手裡的洋竽片已被小武全吃完了。

還有一種情形：「小賢，你今天先請我吃冰，明天我再請你。」小賢果然請了小武。但到了明天，小武見小賢就躲，根本不想回請，因爲錢留在自己的口袋裡還是比較實惠。

上小學的孩子，經常「今天跟朋友要好的時候，很大方的請對方吃東西，贈送小禮物；等明天跟朋友吵架了，就要把東西討回去。」這是一種「討人情」的表現。媽媽可以告訴孩子，既然心甘情願要送東西給朋友，那就是「無條件」的給，不要給了別人，又去討回來，一點小虧也不願吃，出爾反爾。

以上種種，不要覺得這些只是小事，小孩子不懂事，以爲沒什麼大不了的，倘若家長不正視孩子這樣的行爲，而加以制止。孩子長大後，就養成了貪小便宜的性格，在小小貪婪裡貪著小便宜，沒有恢弘的氣度又如何能服人，更別說日後人格特質中有領袖氣質了。因爲人的特質多數是在孩童時期養成的，爸爸、媽媽想把孩子養成大樹，務必要趁早制止不當行爲。

五、炫富的品質與素養

喜歡炫耀是人類很奇特的心理，在人類社會行爲中，炫耀的行爲屢見不鮮。而探究人類爲什麼喜歡炫耀？答案多半是希望能吸引他人的目光，藉此得到別人的肯定。

Bill是個商人，最近剛談成一筆大買賣，他可能會對他的好朋友說：「我告訴你啊！我已經和全球百大的廠商搭上線，他們決定下訂單給我了。很不容易呀！那麼多供應商搶著和他們合作，但這家卻只挑中我，唉！過去一整年的努力，總算沒白費。」Bill希望他的業務能力，能讓別人知道，並且羨慕。

有能力的人說這樣的話，雖然不太討人喜歡，但尚可接受。但另一種令人討厭的人，是自己不曾付出任何努力，也沒有過人的聰明才智，只因爲運氣好，或有個「富爸爸」、「有錢老公」等。讓他們能夠炫耀：

「我的家境很好，不用上班卻能常常出國玩」；

「爸媽總是送名貴的禮物寵我啊」；

「我有好多和名人合照的照片」；

「我男朋友說，我想要什麼都可以買給我……」。

像這樣的人希望傳達給別人的訊息是：「我跟你就是不一樣，我的命跟你的命就是不一樣，我處的階級跟你就是不一樣，總而言之就是：我家很有錢、很有勢，我高你一等。」

我們周遭可能就存在著這樣的朋友，這是一種「人比人」、「炫富」的心態。聖經上說：「不可爲明日自誇，因爲一日要生何事，你尚且不知道，要別人誇獎你，不可用口自誇，等外人稱讚你，不可用嘴自稱。」對小朋友來說，在「要什麼，有什麼」的環境中成長，很容易養成喜歡和同儕相比較的心理，也因比較心理作祟，當有事或物優於別人時，就不知不覺產生了這種優越感。

大人可以透過跟小朋友互動，嘗試影響並改變他的心態：「淳淳，你常常說你家很有錢，不然你分一點給阿姨，好嗎？如果不想分給別人，就不要到處說，不然很多同學都會來找你要錢，因爲他們沒有。你不給的話，他們會覺得你很討厭，你不想分給別人，幹嘛要告訴人家呢？」

愛炫耀的孩子可能也會這樣：「你看！我有這種巧克力，好好吃喔！你有嗎？」小朋友常常在同儕面前炫耀他有什麼，但別人沒有的東西或食物，又不肯分享給他人。這種心態，大多是要引起他人的羨慕，有些時候也是要藉此得到一種「與眾不同」的快感。但是，這種炫耀卻不願分享的心態，往往會惹人討厭。如果能教會孩子們用同理心去感受「當別人有，而我沒有」的感覺，孩子們便不會沉浸在「炫耀」的快感中。

所以，各位爸爸、媽媽們，請告訴孩子：「如果你不準備分享給別人，就不要把東西拿出來炫耀或吹噓，你家有錢是你家的事；炫耀卻不分享，會令人不舒服。」

俄國革命家、思想家，普列漢諾夫說「謙虛的學生珍視真理，不關心對自己個人的頌揚，不謙虛的學生，首先想到的是炫耀個人得到的讚譽，對真理漠不關心。思想史上載明，謙虛幾乎總是和學生的才能成正比，不謙虛則成反比。」所以告訴孩子：炫耀無法處理好人和人之間的關係，人際關係中如果驕傲自大、盛氣凌人，就會和周圍的人格格不入，損害人與人之間的正常交往。

有人說：「稻穗的果實越飽滿，頭就越低。」，又有人說：「只有半瓶水才會搖晃。」意思都是告訴我們，一個能服眾的領袖，必須比一般人更懂得謙虛。

父母在培養一個領袖級的孩子時，除了教會孩子十八般武藝的技能外，更重要的是，培養孩子的同理心、幽默感，還有讓孩子學會「謙卑」。因爲，一個領袖是要以能力、愛心、機智，和高超的品格來服人，絕對不是以謾罵、吹牛，和驕傲來領導。越是能力強的孩子，越容易陷入驕傲與自戀中。若沒有受到正確的教導，即便學了滿身的才能，也很難成爲好的領袖。

第六課：說話的藝術

「智慧的舌，善發知識。愚昧人的口，吐出愚昧。」、「溫良的舌是生命樹，乖謬的嘴使人心碎。」

一、說話，請說共通語言開始！

人與人之間大部分的時候需要靠說話來溝通，說話是意念的表達，爲達成目的的方式。所以說話本身其實具備了一種達成目標的力量，有人說，說話是一種藝術，「智慧的舌，善發知識。愚昧人的口，吐出愚昧。」、「溫良的舌是生命樹，乖謬的嘴使人心碎。」好的說話方式可以達成人與人之間溝通的最大效益。但話要怎麼說，才能讓事情處理完善令人得到最大好處呢？其實需從日常小事做起。

我們常常聽到周遭的人，如此批評某人：「樓下那個阿偉呀！平常『人緣』有夠差；現在不知道那根筋不對，還想出來選里長，每天到處敲門拜訪鄰居，平常不燒香，這個時候，晚了啦！哪有人會理他呀！」

確實，我們多數都不屬於天生就帶著好氣質的人，但可喜的「好人緣」能夠經由後天來陶冶。例如，懂得說話的藝術，口裡說出的話不要使人產生猜疑，讓人感受你的真心坦白與尊重，是擁有好人緣的方法之一。

有一年我在美國參加一個課程，裡面有很多不同國籍的人士參加。一群韓國人總是自成一個小圈圈，磯磯喳喳用韓語交談，而且聲音非常大聲，如入無人之境。現場除了他們那群人外，沒人聽得懂。當美國老師走進教室，他們還繼續著，老師發現他們很大聲在講話，又聽不懂內容，加上臉上表情既誇張又沒笑容，緊張得問我說：「他們是不是在吵架？」我連忙說，「喔！不是，他們只是聊得很激動罷了。」老師這才鬆了一口氣。坦白說，這是很沒禮貌的事，在一個國際的團體中，最好使用大家聽得懂的語言，避免誤會或引起不使用相同語言之人的不快，這也是對在場人士的一種尊重。

不久前，我回洛杉磯辦事，準備入住酒店，女兒英文比較好，我讓她到櫃台辦理登記手續，她跟櫃台小姐交談不久，突然用中文跟我說：「媽媽，這裡有一間套房一百多塊，附wifi，還附……」。霎時間，櫃台小姐臉上明顯露出不悅的表情，我立刻猜出來：

可能她不知道我和我女兒之間到底在說些什麼，是否對她不滿意？或是在批評酒店設備不好？或是任何心中猜測的問題？那時，我察覺到她的不安，因此感到有點不好意思，趕忙用英文跟櫃台小姐解釋：「我女兒正在跟我介紹套房裡的設備。」

我想，如果女兒一開始可以跟這位小姐多補說一句：「對不起，我在跟我媽媽解釋房裡的設備，這樣可以讓她更清楚一點。」也許這位小姐心裡就會比較釋然。這是將心比心的態度，如果我們能多一份貼心，就能減少對方因聽不懂你的語言，而產生了懷疑誤解。更重要的是，對方不會有被排斥在外的感覺。

事實上，在一個國際團體中，喜歡找說同樣母語的朋友聊天是很自然的。跟說同樣母語的朋友聊天，聊起來比較暢快、親切，也更容易溝通。但看在其他國際友人的眼裡，他們無法知道我們談話的內容，也無法融入這個有隔閡的小圈圈裡，如果這個圈圈的人數是團體中的多數，那非圈圈的人，就會感到自己被排擠，被孤立；如果圈圈裡的人數是團體中的少數，那非圈圈的人看這小圈圈就覺得是「異類」，嘰嘰喳喳顯得特別的礙眼。

一位朋友固定參加一個英文的宗教讀經班，因為是英文讀經班，所以中國人、外國人都有。在讀經時，大家全都使用英語交談，結束後，幾個中外朋友就一起外出用餐，中國人比較喜歡私下跟自己人講中文，從出了讀經班的大門開始，我這位朋友因有點心事就跟另一位華裔友人私下講個不停，直到大家點餐時，還是繼續用中文聊天。

吃中餐使用圓桌，在場唯一的一位美藉白人女性，兩旁坐著的都是中國人，右邊的友人可以用英文陪她聊天，但坐在她左邊的是我這位朋友，她正自顧自的和那位華裔友人繼續聊著，沒注意到中間這位白人女性已經被孤立了。飯後吃點心時，她看我朋友還是用她聽不懂的中文談她們的心事，突然有點不悅，直接了當的說：「這是英文讀經班中午聚餐時間，你們能用英文說嗎？我聽不懂你們講什麼？」直到此刻，我朋友才驚覺自己很失禮，這位同班同學已經被孤立很久了。

不僅是在國際場合如此，在中國內陸也該注意這些問題。中國幅員廣大，每個省分、每個地方，皆有不同的方言；有些方言可能比他國語言還難聽懂。如果，在一個融合許多省分人士的聚會中，每個人都用家鄉話與同鄉聊天，相信其他省分的朋友，也會有被孤立排擠的感覺。

在一個團體中，儘量說大家聽得懂的語言，避免形成個人的小圈圈。雖你可能會傾向喜歡團體中的某些人，但無需在大眾面前製造這樣的小團體，說著大家聽不懂的語言，多一顆體貼的心，對方就不會感到不舒服。教導孩子照顧和體貼別人的感受，是了解別人的第一步，一個領袖唯有可以了解每個人，並且照顧每個人的心，照顧每個人的感受，使對方感覺到備受重視，進一步的交心成爲朋友，才有可能對你心悅臣服。

二、說話的音量──周武王的嘶吼

說話聲音的大小、溫和或粗暴，正是一個人內在涵養的表現，是他人評斷您的標準。在百貨公司、商店、餐館、電影院……等公眾場所，都應當要隨時提醒自己：說話要輕聲細語，不要大聲喧嘩。我們在公共場合，並不是在演講廳；而且公共場所不是自己家，放肆地大聲喧鬧，甚至嬉戲跑步，都會影響他人的舒適度，須特別注意。

許多年前，我和朋友在一家高檔的中餐廳吃飯；當時還沒到用餐的熱門時段，所以店內的客人不多，總共只有三桌客人。除了我和友人這桌，另一桌是兩對年輕的情侶在敘舊，還有一桌也是一對年輕夫妻，正帶著兩個大約三歲和五歲左右的孩子。

這兩個孩子很不安份的到處爬上爬下，沒多久就在地上開始玩起遊戲來了。小朋友一邊高聲叫鬧，一邊繞著桌子玩起官兵捉強盜。整間店裡就聽他們高聲喊著：「來呀，來呀！快來呀！來追我啊！」

至於孩子的父母在做什麼呢？這對年輕夫婦淡定的坐在位子上，只自顧自的吃飯、聊天，完全無視自家孩子的行爲，更不在乎他們的放任已嚴重影響其他客人用餐的權益。

這兩個小娃兒繞著鄰桌跑跳時，好幾次都快撞上另一桌的情侶了。他們的爸爸、媽媽依然不予以制止。就這樣鬧了幾分鐘，原本只是眉頭深鎖的鄰桌女客，終於按耐不住性子，跟他男朋友說：「這兩個小孩子怎麼這麼沒規矩，簡直把餐廳當成遊樂場。吵死人了！我連自己說話的聲音都快要聽不到了。真叫人受不了！」

這位女客故意提高聲量，像是說給孩子父母親聽的；這對父母當然聽見了。這下不得，孩子媽媽竟「虎得」從座位站起來，「護犢子」般的對著這位年輕女子開罵起來：「你們聊天不也很大聲嗎？你們可以聊天，我孩子就不可以玩耍啊？小孩在餐廳裡本來就可以玩耍，你們這樣說我孩子，他們幼小的心靈是會受到傷害的。看你年紀輕輕，妳憑什麼說我小孩？真是奇怪！我孩子沒規矩，妳們就很有規矩啊？」

這間店不過三桌客人，其中兩桌起了爭執，氣氛也尷尬到了極點，事情得怎麼平息才行呢？那位年輕女子的男朋友，伸手拍拍女朋友的手，安慰地對女朋友說：「算了！別跟她鬥了。」雙方這才熄火。孩子的媽認爲自己打了勝仗，女英雄般的戲演完了，才又坐下來繼續跟先生聊天，一雙兒女也繼續在店裡嬉鬧。

這位護子心切的媽媽爲兒女挺身而出，看來像是打了個漂亮的勝仗；事實上，這個媽媽在孩子的教養之路上，做了最壞的示範。「母護犢子」的心情可以理解，但過份溺愛孩子，任由不懂事的孩子在公共場所大聲嘻鬧、跑跳，影響他人；自己非但不管教，甚至不明事理的與人發生口角……。孩子將這一切都看在眼裡，卻不知道這樣的行爲其實是不對的，之後依然會繼續在不同的公眾場合我行我素，更甚者還會學著爸爸、媽媽顛倒是非，處處與人發生口角。

在父母這種錯誤的觀念下長大的孩子，將會沒有分辨是非對錯的能力，沒有了正確的思考力，孩子將來長大又怎能期盼他可以分析問題，分辨是非，思考的方向錯誤，即使有能夠做決斷的能力，其結果也只會帶來傷害，這些不斷重複的錯誤，就是父母在日常瑣事中沒注意到的，經年累月也就弱化了孩子的能力，這樣的孩子長大後，怎能成為受歡迎的「紳士」、「淑女」呢？這般的素養，孩子的未來職場，又有什麼競爭力，如果父母真愛孩子，就該從每天的小事做起，訓練孩子的能力，更正錯誤的觀念！

溫柔自是勝剛強，說話的音量也一樣，輕聲細語的說話，往往能深入人心，比嘶吼更有力量，聲音的大小和事情好壞的結果成反比，越是嘶吼越是造成彼此的對立，如果足夠有素養，不需要用嘶吼來進行溝通或下指令，以一位領導者來說，平日的威儀不需要用大吼大叫來令人折服，真有需要大吼大叫，除非如周武王「一怒而天下安」，那種才是領袖的嘶吼。

三、悅耳的規勸，是成功的溝通術

當一個孩子做錯事，父母總唸唸有詞說大道理，最後再補上一句：「我是為你好……」，但凡聽到父母說這句話的孩子，一定把耳朵摀起來拒聽，因爲這句話太沉重了，一聽到，一定立刻想逃跑，爲什麼呢？因爲不管父母的道理再好，只要口氣不好，態度不好，再好的道理都無法進入孩子的耳裡或心裡，說話能不能說出令人悅耳的話，能不能說出令人聽起來舒適的話，是成功溝通的第一步。

多年前，一位到上海工作的臺灣朋友告訴我，有一回她請公司的司機開車帶她外出買東西，車子開到一個街口出不去了，原來街的另一邊正有一輛轎車要開進來。她這一頭要開車出去，那一頭要開進來，誰都不讓誰，誰都覺得自己有理，不願意先倒車。剛開始兩邊都按喇叭，接著僵持了幾分鐘，雙方都在等對方先倒車，她不明究理問了司機：「這到底怎麼回事？」司機說：「那個人不對，有車子這麼開的嗎？他應該先倒車讓我先開出去。」

但是對方的車主還是沒有要讓的意思，司機就開始生氣了，搖下車窗要求對方先倒車，對方也很生氣大吼說：「應該是你要倒車，讓我先進去呀！」剛開始兩人只是搖下車窗大呼小叫，但這樣吵還不過癮，於是，兩個吵得面紅耳赤的司機，索性開了車門，下車吵個夠，轎車主人也不甘示弱，下車加入戰局。

她看苗頭不對，趕緊下車拉住司機，花了好些精力，才把司機勸回車內，倒車結束這場紛爭。

日常生活中常會遇到不合理或是不愉快的事。大呼小叫、使用蠻力，甚至武力解決，這樣的解決問題方式，除了增加了彼此的不舒服之外，更可能因口角，暴力失控帶來新的傷害。輕聲細語也可以講「理」，動不動扯開嗓子大吵、大吼、大叫，只會讓人覺得這個人很粗野，很容易惹是非，不想與之爲伍，這種人自然不受人歡迎。

當我們和人溝通問題時，若一開口就讓人感覺到像爸媽常說的那句：「我都是爲你好」的沉重壓力時，再有道理的話，別人大概也不想聽下去，因爲這種讓人感覺到壓力很大的說話方式，會讓聽者自然而然的封閉感官，不願意進行溝通。若能秉持著很好的態度，把道理講清楚，用溫柔的心，輕柔的口氣，輕聲細語的說，讓人感受你的道理，也讓人感受你的誠意，同時更讓人感受你的用心，那樣除了你的想法可以傳達給對方之外，在感情面上也表達了對人的尊敬和用心。當說話者用真心溝通時，聽者自然也能感受到好意，彼此對峙的局勢就會改變，要解決問題就容易了。若能以這種態度和口氣處理事情，也會讓別人認爲你是一個有品質的人。

別人眼中的是怎麼樣的人，決定「人際關係」的好與壞，也是在職場上成功的關鍵之一。對一般人來說，說話跟吃飯、走路一樣稀鬆平常，但仔細想想，全世界的生物只有人類才有這種「有聲語言」的本領，且還可配合「語意」精準的傳達我們的感情和思想。說話本身就是一種藝術，陌生人會觀察我們如何說話，說什麼話，用怎樣的語調說話，來判讀你是屬於社會上那一層級的人。認識你的人，會因你說話的格調，決定要不要親近你。如果你是個口不擇言，經常話裡藏針、愛說三道四、散播謠言、喜歡吹牛的人，那肯定沒人想要搭理你。所以想要有好人緣，先來學學說話的基本功夫，把基本功夫練好了，才有機會擠進上流社會，飛上枝頭做鳳凰。

四、說話語調，是聽覺的名片

在練功之前，先把說話的聲調和語調，調整到最適當的位置。因爲大多數的人不會特別注意自己說話的聲音，但其實說話的「聲音」和「語調」卻決定了別人對我們的第一印象。特別是素未謀面之人，先透過電話交談，對方就已經先從對話中給了初步的印象分數。聲音和語調要注意的，包括了音質、咬字、聲音的大小、說話的速度等，它有如一個人的外表，或是穿衣打扮那般重要，甚至比說話的內容更爲關鍵。這和個人的形象息息相關，所以可說是你的一張「聽覺名片」。

擁有悅耳的聲音，能夠增加你的說話魅力。就以那些百萬推銷員爲例，他們個個都像是聲音的魔術師，隨著抑揚頓挫的語調，銷售的內容也就這麼進入人心。

有些人，天生就擁有一副好聲音，音質清亮，說起話來輕聲細語、溫柔嬌媚，悅耳動人，有如「黃鶯出谷，乳燕歸巢」，這樣的人，先天上就佔了許多便宜。但有些人則是音質太差，中氣不足，聲量不夠大，咬字又不清楚，好像嘴裡含著一顆滷蛋，說起話來「伊伊喔喔」的；去麵攤點碗麵，明明跟老闆娘說的是「餛飩湯」，送來的卻是一碗「豬肚湯」；去豆漿店說外帶小籠包，卻只給包了一顆肉包。這還真是有口難言啊！

根據美國一篇關於人類對聲音喜好的研究報告指出，講話聲音太大聲、音質太尖銳，或是慣用娃娃音、說話中氣不足、語調平淡、刻意壓低聲線講話、說話時常使用「嗯」、「呃」等語助詞，還有每講完一句話，句尾都要往上揚，老像是在問人：「是嗎？」這些都是最容易令人反感的聲音。

說話的聲調和語調，對於女孩子來說更爲重要。一般社會上認爲好女孩應具備姣好的容貌及性情，若還能加上動人的聲音，那就更加完美了。

知名女星奧黛麗赫本主演的經典電影《窈窕淑女》(My Fair Lady)，內容描述的是一個語言學家，因爲和朋友打賭，把賣花的鄉下女孩，在六個月之內培養成貴婦的故事。

奧黛麗赫本所飾演的賣花女，改造計畫的第一課，就是改變她的口音。她為了去除鄉下口音，跟著留聲機一遍又一遍的練習咬字及語調，直到發音標準、聲音迷人為止。達到標準之後才是服裝、儀態及社交禮儀的訓練，可見聲音的魅力對女性有多重要。

女性向外界傳遞的資訊方式中，聲音占了38%。而很多年輕女性並不清楚這點，對任何人說話都像個大嬸一樣，拉開嗓門大呼小叫；即便有「沉魚落雁，閉月羞花」的容貌，但一開口，身邊的人就想立刻逃跑。因為大嗓門、音質差、言語粗魯，美麗的女孩，成了「開口死」的大嬸模樣，那些原本美好的感覺瞬間消失殆盡。所以動人的聲音可以為女性的形象加分，想當淑女的人不可不留心。

至於男性理想的聲音，則是要低沉、鏗鏘有力，聲音的力道也要在一定的範圍之內，不要隨時一副要跟人吵架的口氣。有些人的聲音天生就悅耳，如果不是這樣的人，說話時就要稍微降低一點音量，讓聲音聽起來柔和些，對方也會感覺舒服多了。

即便沒有天生的好聲音，那也沒有關係，因為這是可以透過後天訓練加以改變的。就像《窈窕淑女》電影中的女主角一樣，一步步學習如何把握、駕馭講話的語氣及語調。

我們雖然不需要像播音員一樣，有標準的咬字、語調，但可以儘量改善自己的音調、音量及速度。我有一個學生曾告訴我，她為了能有機會坐上播報台，每天都會模仿播報員唸一段新聞，並且將聲音錄下來聽聽看，是否有需要改進的地方？雖然我們不需要當播報員，但這個方法不失爲改善聲音的好方法。坊間也有一些聲音課程，學員跟著聲樂老師學習正確的發聲方法，讓說話時能夠氣沉丹田，語氣平和。當有美妙令人舒服的聲調時，別人會更樂於「洗耳恭聽」妳說話的內容。

悅耳聲音訓練小秘笈：

★說話速度不要太快，咬字要清楚。

★咬字若能注意每個字的尾音，譬如：「品味」，講的時候要多注意，「品」字的 -ing 和「味」字的 -ei，讓每個字完整的發音，咬字將會清楚許多。

★每天做二十至三十分鐘步操運動，對精、氣、神都有益處，且能提高肺活量，讓說話的音質飽滿。

★人類說話的聲音應該是抑揚頓挫，是有韻律感的。多利用不同的音調，傳遞動感和意義，才不會讓聽的人覺得無聊。

★每天花幾分鐘練習張大嘴打哈欠。哈欠快結束時輕輕發出「呼呼」聲，「呼」聲持續幾秒。讓下巴不斷放鬆，直到下巴完全感覺不到壓力。持續練習，可放鬆你的聲音，讓聲音聽起來不緊繃。

五、說話的禮貌，隨時掛嘴上

「懂禮貌、知禮儀、重禮節」是一個有素養的人該具備的品格，學會見到人就打招呼，親切的說：「嗨！你好。」並且不忘隨時用「請」、「謝謝」、「打擾了」、「對不起」、「請原諒」等簡單的禮貌用語，會讓人際關係更和諧。

有些人，也許害羞、也許驕傲、也許對人不經心，經常遇到認識的人，連招呼也不打，便匆匆閃避。在公司裡見到上司從前面走來，他立即從後面躲開。在團體中，只跟自己熟悉、要好的人聊個沒完，旁邊坐著誰或站著誰，跟他完全沒關係。這樣的人，在他人的心中，也不會有太好的印象。

「嗨！你好。」是最簡單的話語，也是最省錢的交際費。當你碰到認識的人，卻躲著不跟他打招呼，對方所接到的訊息可能是：「他不想理我。」或「他是不是做了甚麼事怕我知道？」……等負面的想法。因此對你的態度也會有諸多揣測：「我做錯了什麼嗎？我得罪他了？他遇到什麼麻煩了？有什麼傷心事嗎？他怎麼這麼不懂事，連個招呼都不會打？」不管那一種揣測，別人對你印象都不會是正面的，也會讓你們的關係蒙上一層陰影。打招呼只要兩秒鐘的事，卻能爲你贏得好人緣，爲何不做呢？

即使是很忙碌的時候，有人和我們打招呼，也應該要回應。你應該立刻放下手中的事，用友善的神情，眼睛注視對方的眼睛，回禮說：「你好！」然後要讓對方知道我們正在忙，帶著歉意說：「你看，真不巧，手上有幾件事急著辦，不能和你多聊，等忙完再找你，好嗎？」不可以因爲手邊有事就不打招呼，那會令對方產生誤解，也很不禮貌。

對一天要見面好幾次的上司、同事或同學，每次見面也要打招呼，至少點個頭，否則就算失禮。除了「打招呼」外，經常使用「請」、「謝謝」、「打擾了」、「對不起」、「請原諒」等簡單的客氣用語，能讓你的人際關係更圓融。

有一年，我去協助一家企業做員工訓練，很驚訝地發現：平常掛在嘴上，天天都在講的話語，如：「拜託您、麻煩您、謝謝您」等禮貌性客套用詞，對這些學員來說竟不是平常的事。

每天早上我有喝咖啡的習慣，於是在早上第一堂課開始前，我會跟某學員說「能麻煩您幫忙倒一杯咖啡給我嗎？」，等接過咖啡後，理所當然道聲「謝謝」，這些都是再平凡不過的話，甚至已成爲一種反射動作。

課程結束時，我請學員出來分享上課的內容，竟有學員說「老師好奇怪喔！平常老闆叫我倒咖啡或做什麼事，都直接說：「倒杯咖啡給我。」爲什麼老師卻常常說「請您、麻煩您、拜託您、謝謝您、對不起？」我聽了十分訝異，原來這些普通的禮貌性用詞，他們很少運用在生活中。隨後我又設計了有關這方面的課程，要他們藉此來彼此練習運用，並且抓緊機會用在跟朋友、家人或孩子的互動。效果非常好。日後，有學員跟大家分享：「我用了老師的方法，和老公的關係變好了。老師說得真沒錯，只要一點點改變，在跟人的相處上，都會有意想不到的效果」

不管做什麼，即使是微不足道的小事，也要常常把這些禮貌性的用語掛在嘴上，畢竟說出來可以表達你的用心與尊重，且對方聽在心裡，卻會有極大不同的感受。對外人需要這麼有禮，那對家人或伴侶更要「有禮」。中國家庭通常不會跟家人說「謝謝」等語，認爲「自己人」何必說這些，說了就太見外了，好像彼此很疏遠。這樣的想法真是大錯特錯。

如果替對方做任何事都得不到一句「謝謝」，久而久之，可能會覺得氣餒，若有一天因爲吵架造成彼此不和睦，經常服務的那一方也許就會抱怨：「你從未站在我的角度想過，爲什麼我幫你做事是理所當然的？」所以不管彼此多親密，還是要維持一些基本的禮貌，不但能讓對方清楚的知道你的感恩，也會讓彼此的關係更和諧。

家庭教育是「禮儀」最重要的實習場地，讓孩子從小就在有禮的家庭中長大，在家彬彬有禮，到了外面，自然也能流露這樣人見人愛的氣質。

六、讚美，不可思議的力量！

有人的地方，就會有口舌是非。「是非」與「長短」這兩個字眼，是負面的。既是要說出讓人覺得舒服的話，那就不該去說它。聖經裡的所羅門王勸我們要勒緊舌頭，才能得智慧。又說：「多言多語，難免有過，禁止嘴唇是有智慧。」可見得多聽比多說，更能得益處。

有心理學家研究，小朋友最喜歡的玩偶 Hello Kitty，為什麼四十歲了，還那麼受人喜愛？那是因為 Hello Kitty 除了樣子可愛外，它只有眼睛、鼻子，沒有嘴巴。沒了嘴巴的 Hello Kitty，不多嘴、不說人是非，當然討人喜歡。

小時候外婆也曾說過：「小孩子要有『耳』沒『嘴』。」就是讓小朋友，多聽少言。別看這小小的三寸肉舌，若不好好勒緊它，謹言慎行，我們的言語一旦透過它出去，有如刀出鞘，這刀刃能助人也能傷人。

阮玲玉是民國初年知名的演員，她的故事曾被拍成電影，得過無數國際大獎。這位銀光幕前光鮮亮麗的演員，最後選擇以自殺來結束生命。自殺前，她曾留下遺書寫道：「人言可畏，人言可畏，人言可畏。」連寫了三遍，這是一個被世俗的流言蜚語逼死的女人，可見人的言語是有能力殺人的。

許多人與人之間的矛盾，往往來自於是非的搬弄。平時說些沒有根據、捕風捉影的話，或是容易製造事端、惡意中傷他人，或是平常愛打探別人的隱私……，這些行爲反應了個人的道德修養。每個人都得隨時隨地對自己口裡所說出的話負責，避免「禍從口出」。更不要隨便論斷別人，別忘了：當你指責別人時，一個指頭指向別人，卻有四個指頭是指向自己。

因此，與人交談時，不要去談論他人的是非對錯，和自己不相干的事，不要說，不要打聽，也不要想知道。當你認識的人多了，是非就多，知道的事情多了，煩腦就多。與其給自己找這些煩惱和是是非非，不如謹守「三不」：「不聽人隱私、不道人是非、不論人長短。」讓這些聽了令人不舒服的話遠離我們。

小朋友也是一樣，有些小朋友在學校受了氣，當場不敢說，回到家就憋不住了，拿起電話迫不及待跟好朋友說某人的壞話：「我好討厭那個小珍，一天到晚巴結老師、巴結班長，英文考一百分有什麼了不起？我……。」爸爸媽媽最好勸導孩子儘量不要在背後道人長短，即便有甚麼不平的事，也別處處訴苦。因爲，你永遠不知道聽的人，會不會把你說的話，加油添醋再傳出去。

相對於道人是非的是讚美，人的內心都渴望得到別人讚美，讚美的言語具有一種不可思議的力量，我們的心大多很敏感，有時候別人一句不經心的話：「我覺得你穿粉紅色的衣服很漂亮，剛好襯妳的膚色，讓妳皮膚看起來更白。」從此妳可能就會經常穿粉紅色的衣服；或是有人這樣跟妳說：「我認爲妳還是比較適合留短髮，因妳的五官很立體，留短髮更有知性美。」以後妳對長髮，大概就沒太大的偏好了。

面對讚美自己的人，我們通常不會有厭惡感，畢竟「高帽子」人人愛戴。但是，太過誇張的讚美，並非人人都愛。很多誇大的讚美，其實是「拍馬屁」，那是言語上的賄賂，爲達到某種目的或得到某個東西，卑躬屈膝，言不由衷胡亂說的「好話」，這和真心讚美別人是完全不一樣的。

亮亮爲了得到公司出國考察的機會，對上司諂媚奉承，嘴上功夫了得：「副總，來，這是您的茶，我剛沏上，給擱在這兒。副總您真是越來越年輕了，這身西裝穿在您身上，您五十八歲看起來像極了只有三十歲的小夥子，太帥了，讓我好生羨慕，我今年二十九，還不如您有活力。上個月公司辦尾牙，我小姪兒跟著來，看到您上臺表演『一千個傷心的理由』，竟然跳起來跟我說：『叔叔，那個人是歌神張學友嗎？他是我的偶像耶，記得幫我跟他去要張簽名喔！。』副總您看，現在您不只是我的偶像，連我姪兒都把您當偶像了。」

同一個辦公室的同事聽到這樣的馬屁話，都忍不住偷偷笑出來了，這個亮亮說話太誇張了。拍馬屁也得有個分寸，這種言不由衷的讚美話，一下子就聽出那是「馬屁」

話，除非上司吃這套，就會和亮亮這種馬屁精一拍即合，各取所需，否則要讚美別人還是不要說得太誇張。

真正讚美別人，要發自內心，且讚美的「確實」，別讓人感到和實際相差甚遠。亮亮想要讚美上司不是不行，但可以換個用詞。例如說上司穿這身西裝很適合他，看起來不像是五十八歲，或是比實際年紀輕，要說像是三十歲，會讓人覺得這個年齡差距太大，使你的讚美顯得很不真實，更像是用言語在賄賂上司。還有說五十八歲的上司像是歌神張學友，是自己跟小孩子的偶像，這話該從何說起呢？上司可能剛開始覺得「飄飄然」，等話過了腦子後，也會覺得是奉承之詞，不是真心的。其實，亮亮可以讚美上司，當天歌唱得非常好即可。這樣的讚美反倒比較貼切。

「讚美」其實也需要學習的。有一年我在大陸幫一家企業的員工上訓練的課程，其中有個橋段，我要求互不熟識的學員兩人一組，然後彼此仔細觀察對方五分鐘，再依據外表、說話、感覺等說出五項對方的優點，是你可以拿來讚美他的。有學員反應：「不認識他、不瞭解他、怎麼讚美呢？他也長得不怎麼樣？衣著並沒有什麼品味，說話也有點口吃，實在找不到優點，根本讚美不出來啦！」真的是這樣的嗎？這其實就是考驗觀察力，一個再不起眼的人，當很仔細去端詳他，想辦法跟他說話來瞭解他，一個人總不會是一無是處，身上半個優點都找不出來。

或許可以改爲說：

「咪咪，我覺得妳的耳環很漂亮，很適合今天的妝扮。」

「我覺得妳的睫毛很長，讓眼睛看起來會放電。」

「我覺得妳聲音很好聽，很有磁性，讓人感覺很溫暖。」

「剛剛進門時看見妳正在幫一位新同學找椅子，妳真的很樂於助人。」

「還有，妳讓我覺得妳很樂觀，老是笑口常開，跟妳在一起應該會很開心吧！。」

這樣不就輕易找到咪咪的五個優點嗎？而且每一件都是清楚可見的事實，貼近她實際的狀況，沒有亂拍馬屁令人作嘔的感覺，對方也能很開心、很自然地接受讚美。

小朋友也是一樣，可以從小教導他多做觀察，帶他外出先去觀看一些事物，然後詢問他：「在這個花園裡？你看到什麼了？可以描述給媽媽聽嗎？」等孩子說完，再問他對這些東西的感受以及對他有何好處？如此加以練習。當孩子的是非觀念已經有了，能知道什麼是好？什麼是壞？有了比較，再由這裡轉到人的部份，讓他想想同學，再問他：「你喜歡阿明嗎？爲什麼？你喜歡阿明什麼地方？他有什麼優點是你很欣賞的？」讓孩子試著去發掘他人的優點，學習真心的讚美別人。

其實很多宗教也都教人要經常說好話：「汙穢的言語一句不可出，只要隨事說造就人的好話，叫聽見的人得益處」。甚麼是「造就人的好話」？鼓勵的話、讚美的話、感恩的話，都稱爲「好話」。沒有人不喜歡被鼓勵，也沒有人不喜歡被讚美。當爸爸媽媽希望孩子學校成績考得好時，用鼓勵的方法，肯定比責罵來得有用。

我的女兒高中以前是在台灣受教育。早年，台灣的教育方式，大多是教條式的硬式教育，考試成績不好、字寫錯了，老師一定是罰寫、罰抄幾遍。女兒因爲小學四年級才回台灣讀書。中文的基礎非常薄弱，加上四年級以前的美式教育，注重的是啓發和創造，老師的教學方式，也都用鼓勵、讚美，代替責罵。女兒回台灣時，各科都不及格，連媽媽的看家本領「音樂」也考零分。老師每次看到我，就無奈的說：「妳家女兒考得很差耶，才贏一個人。」我好想回老師：「不錯啦！我們比人家少讀了四年，還能贏一個，可以了啦！」女兒因爲老師的責罵和嫌棄，一路保持全班最後幾名的成績到高中。高中畢業時的成績，好像全校倒數五名都不到。後來，我們去了美國，又回到美式教育。社區大學的教授，一直鼓勵、讚美她，讓女兒信心大增，成績也突飛猛進，最後以GPA 4.0滿分的成績，成功轉學到加州大學柏克萊分校經濟系。

南寧的一個學生，有一次在上完我的訓練課程後，當晚就「學以致用」。那天上課的重點是要學員多說「造就人的好話」，要多說「謝謝」。那天晚上這學員的先生打電話來找她，在電話那頭她把剛學到的，包括說話禮貌、讚美別人的技巧全都用上了。隔天我倆見面時，她很興奮的告訴我：「老師啊！我跟妳說，昨天學的那套真有效。

我老公打電話來說，最近他玩股票賺好多錢喔！我就開始跟他說好話、開始讚美他，說：老公你好棒喔，你這錢是賺給我用的對不對啊！真是謝謝你呀！你真是太棒了。我老公聽我讚美他，也開心得不得了。」我聽了哈哈笑，這也算是另一種「學以致用」。

其實讚美別人就像是其他事情一樣，可以變成一種習慣，是俱傳染力的。每個人的身上都有無數的特質，值得我們注意，比如外表、禮貌、服裝、性格、品德、能力等，讚美別人一定要真誠，找出要讚美的事或物，加以讚美。這樣的讚美才是讚美，不會流於「耍嘴皮」或「拍馬屁」了。少挑別人的毛病，多用真心去讚美別人，這是一個有品質的人的基本素養。

十七世紀的英國哲學家，法蘭西斯・培根 (Francis Bacon) 說：「有一種稱讚是助人向善的，這就是所謂「鼓勵性的稱讚。」

美國著名的人際關係學大師，戴爾・卡內基 (Dale Carnegie) 說：「要不傷感請、不引起憎恨而又能夠改變別人的錯誤，不要忘記這個信條：「在批評別人之前，先談論自己的錯誤。」

七、說話與聽懂人說話

除了學會真心說出讚美和感謝的話以外，也需要培養「聽」的能力。很多人都喜歡以自己為中心，動不動就是「我、我、我」的講個不停，甚至為了表示自己的重要，還會經常性的打斷別人的談話。那是非常令人不舒服的事。

安琪是一個聰明伶俐的孩子，也因為爸媽刻意的栽培，安琪不僅學校成績優異，對其他事情也見多識廣。有一天，安琪媽媽帶著安琪和怡君阿姨一起午餐。但是，安琪她們遲到了。媽媽見到怡君阿姨，很不好意思，趕快解釋：「對不起，對不起，遲到了。我們剛才在路上……」媽媽還沒說完，安琪就插嘴：「我們碰到車禍啦！一部小黃和摩托車相撞……」。好不容易讓安琪解釋完遲到的原因，服務生送上來菜單。媽媽又問怡君阿姨：「你們家兒子考試考完沒？」怡君阿姨才剛回答：「他呀，考完了，不過……」這時候，安琪又來了，她指著菜單，拉著媽媽說：「媽媽！你看、你看，這家餐廳有『火燒冰淇淋耶！』我要吃，我要吃……」。安琪根本不管媽媽和怡君阿姨正在談話，就自顧自的插起話來。這樣的情況，在那個聚會發生了不少次。本來怡君阿姨希望跟安琪媽媽敘敘舊，卻因為安琪不停的插嘴，讓她們沒辦法好好說話。怡君阿姨有點不悅了，可是安琪媽媽似乎沒有察覺。等這頓午餐結束時，怡君阿姨才禮貌的說：「今天真約的不是時候，下次我們要找個孩子上學的時候聚。」也間接的抗議安琪插嘴的毛病。

「聽」人說話，也可避免人和人溝通時的「誤會」。

小青是我的一個好姊妹，為人非常熱情又正派。但是他有一個毛病卻讓大家受不了。每次別人跟她說一件事情，她總是很快打斷對方，說：「我懂了，我懂了。不用再說了，沒那麼多時間，就這麼辦吧。」有的時候，碰到熟朋友，大家都知道她的毛病，跟她說話僅止於告知，事情還是可以繼續。但是，碰到不是太了解她的人，問題就來了……。

有一次，小青和一個新的工作夥伴一起做事。這位夥伴不了解小青的毛病，每次討論事情，小青總是三兩下就把對方的話打斷，說是懂了；這位夥伴以為小青都了解了，就繼續他那部份的工作。過了好一陣子，夥伴已經把工作進行得差不多了，小青這才發現：她對這個計畫是有意見的；問題是，夥伴跟小青溝通時，她每次都「有聽沒有到」。夥伴以為她已經了解了，才開始下一個動作。怎可在別人已經努力很久了，才抱怨：「你怎麼都沒跟我說呢？」氣得那位合作夥伴再也不跟他共事了。如果小青能改掉不聽別人說話的習慣，她和夥伴的合作也不會這麼不開心了。

通常，這些「我」個不停的人，也會見了人就恨不得把他的所見所聞，絮絮叨叨地說個不停。但是卻忽略了有些別人沒興趣的事，自己說得津津有味，聽在別人耳裡卻顯得太過聒噪。

我一個老大姐，一輩子沒結婚。退休後，一個人住在一間公寓。平時應該是挺寂寞的。每次社團的老朋友聚會，大姊總是開心地講個不停。她會抓住我們天南地北的聊，從「盤古開天」聊到「現代科技」，把她在電視上看到的，或在朋友處聽到的，全跟我們說一遍。問題是，社團裡男女老少都有，年輕一點的朋友對她講的那些老掉牙的事，根本不了解，也不會感興趣。每次她一來，年輕人就跑光光。這不打緊，她還會經常跟大家說：她朋友姊姊她家的貓……。她朋友我們都不認識了，她朋友的姊姊跟我們甚麼關係？還說到她朋友姐姐家的貓，沒多久，連我們這些「中生代」的也跟著開溜。最後，就只剩下那些閒閒沒事的退休老人，聽她講話了。

爸爸、媽媽應該隨時提醒孩子，學會做一個「好聽眾」，和朋友談話時，不要自顧自的說一些個人的事，更不要胡亂插嘴。學會聽人說話，不但會使對方有種受到尊敬的感覺，也會使別人更願意與你交談。

「傾聽」別人說話，可以聽到別人真正的意見和見解，也可避免與人溝通時產生誤會。一個能夠傾聽別人說話的人，也必定是富於思考，又謙虛的人，會受人敬重。

八、電話打在對的時間

接聽電話不用和對方面對面，因此有沒有禮貌沒關係，這是錯誤的想法。

很多人認爲：「接聽電話不用和對方面對面，因此有沒有禮貌沒關係，反正對方又看不到我，那麼多禮貌幹什麼？」這其實是錯誤的想法。接聽電話是每天最常發生的行爲，不懂禮貌會讓人對我們的印象打折扣，直接破壞掉紳士或淑女的形象。

關於私人的電話禮貌，很重要的一項就是選擇「對的時間」打電話。半夜三更大家都已呼呼大睡，或清晨六點，別人好夢正眠，拿起電話就撥，全然不顧及時間點，這是很擾人的行爲。以小朋友來說，同學的媽媽正在教他功課，或他正在練琴，或是他就寢時間，在這時打電話給他，那樣是非常不禮貌的。對小孩子來說，他最重要的事可能只是：「立立，我是小冰，你在幹什麼？我現在有一個新玩具，我爸爸剛剛買給我的，你要不要過來看看我新的玩具啊？」童言童語，無關要緊的。如果你家的小朋友，有隨時抓起電話找朋友聊天的習慣。爸爸媽媽就要及時提醒，讓孩子懂得尊重別人作息時間，別隨便打擾。

人是群居動物，需要有同伴，也需要和好朋友分享心情，或生活上的種種。所以，喜歡找人聊天是正常的行爲。只是聊天時，應該找熟悉的朋友，並且最好事前詢問對方何時方便聊天，小朋友可以這樣問：「立立，我是小冰，你甚麼時候功課會寫完？今晚八點打電話給你方便嗎？我有事情想跟你說。」這樣，對方可以有個心理準備，假使不方便，也會事先告知，避免造成彼此的困擾。

在台灣，通常是由打電話的人付費，愛聊多久，只要付得起電話費都沒問題；所以某些人就會拼命講，反正我有錢，愛講多久就講多久，那是我的事。但在國外可不全是這樣，比如在美國，打手機的人要付費，接手機的人也要付費，如此一來，接到電話的朋友豈不很倒楣？陪別人聊天還要付錢。

當然，心情不好難免要找朋友說說話，但對方可能有時間上的限制、有體力的問題，甚至可能接電話還要付費……，所以，打電話最好能長話短說，不要拖泥帶水、漫天亂聊。

除此之外，華人的「電話禮貌」確實有改善的空間。許多人接起電話，開頭第一句的語氣及語調都不會太好：「喂！」不是很大聲，就是很兇悍，或是很不耐煩「喂！喂！喂！你是誰啊！我現在沒空，你有什麼事啊？」當每次打電話對方都如此回應時，心情全都沉到谷底，不想再講下去了，有一種被拒絕或不受歡迎的感覺。譬如一開始本持著興奮的心情談件生意，或有件好事想分享予對方，卻被對方這麼一「喂」，連話都說不出來了。

講電話時，對方看不到你，所以你說話的語氣、聲調，就成爲他解讀你的唯一憑據。同樣一聲「喂！」你可以說得很輕柔、很有禮貌、很愉快，讓人對你留下美好的印象，爲什麼不這麼做呢？有個朋友雇用的一位秘書小姐，非常討人喜歡。每次她接起電話：「喂！你好！」一句很簡單的話，就讓你如沐春風，感到她是這麼歡迎你，尊重你，隨時盼著你打電話來，聽得人的心情都好起來了，覺得沒有什麼話是不可對她說的。對照前者不同的態度，那真是天差地別。

當然，如果正在忙時，剛好有電話進來，真的沒空，可以這麼回覆：「對不起，我正在開會（或做什麼事），實在不方便跟你說話，等一下再打電話給你，或麻煩你再打過來，好嗎？」多講這句話只有一到兩秒的時間，但給人的感受是全然不同的，對方也不會因爲不禮貌的語氣感到受傷。

可能也會遇到那種拿起電話，就很難掛斷的朋友，以下這種方法可以節省不必要的廢話：

不久前我打電話到國外，請朋友幫忙處理事情，這朋友比較沒有時間的概念，習慣長時間講電話，不管有無正事要辦，只要和她通電話，至少會講上半個小時。如果此時，正趕時間或者不想在電話上聊這麼久，可以事先告訴對方時間上的限制，可以說正在忙某事，很快要出門了，只剩下很少的時間可以跟對方談（比如只剩十分鐘），時間一到就必需走，請對方見諒，這個方式可脫身。

現在免費的網路電話非常方便，如：skype、line等，是聊天的好工具，要講多久就有多久。如果自己想脫身，又不好意思掛電話，可以告訴對方：「現在有人打給我，有其他事情進來，需要立即處理。如果還有沒討論完的事，需要再打電話給你，或再用line跟你說一下，好嗎？」如此，既能做好自己該做的事，又不會爲臨時要掛電話傷到友誼。

在辦公室中也經常需要接電話，要有好的接聽禮貌，才能夠保持公司的形象。電話鈴響三聲內接起來是比較好的，否則會有怠慢之嫌；如果接晚了，應跟對方致歉：「對不起，讓您久等了。」講電話的聲量不可太大聲，會影響其他同事工作。如果對方的聲音很小聲，或手機訊號不佳，聽不清楚時，可以這麼說：「您的旁邊是不是很吵？我有些聽不清楚。」那樣，對方就會自然而然提高音量。請千萬不要直接說：「你的聲音太小聲了，我聽不清楚。」這會讓對方無所適從。

如果對方打來，找的對象不是接電話的當事人，請不要不耐煩的叫對方掛電話。尤其別不耐煩的說：「他不在。」然後用力地掛上電話。幫同事接電話時，如果無法立即轉接，也要讓對方知道，別讓人等太久。轉達留言一定要記清楚，特別是來電者的名字要再次確認，如果不清楚對方的動機、目地，不要隨便傳話。我們經常會碰到撥錯號碼的情況，請不要對人大聲怒斥，或用力掛掉電話，可以禮貌告知對方撥錯電話；如果是自己打錯，不要一聽打錯就立刻掛掉，應馬上跟對方說：「對不起，我打錯了。」

現在人人都有手機，隨時隨地都可以接聽電話，爲了講電話，經常有人在公共場所以高分貝說話：「什麼？你說什麼？我聽不見，這裡很吵，通訊不太好，請你大聲一點。」這樣的舉動會打擾到其他人的安寧，也是不禮貌的。

有一次，我坐公車從城西坐到城北，有位太太從一上車就拼命講手機，而且講得非常久，車上的人敢怒不敢言，後來實在太吵，有另外一位太太受不了了，就直接飆罵：「嘿！妳講電話可不可以小聲點……。」

這種在公共場所肆無忌憚、大聲講電話的情形，大家早已司空見慣了。總認爲哪個地方不吵？既然大家都如此，我也可以。多數大眾強忍著不制止，是因爲自己有時也是這樣，沒有立場多說。然而，這些行爲都是不好的習慣。現在的資訊很發達，建議除非很緊急的事，儘量以簡訊替代說話。一來，不會打擾接電話的人，他可以等方便的時候再跟你聯絡；二來，可避免在公共場所打電話，干擾他人、影響公眾安寧。如此，既可維持自己有教養的形象，也會讓你贏得好人緣。

貼心的叮嚀

「話語」是有力量的。真心誠意待人，多說造就人的話，少講負面的言語。一定可以爲人生帶來意想不到的無形財富—「人緣」。

爸爸媽媽們千萬要記得，隨時提醒孩子，多說好話，談吐要有禮貌。當然，爸爸媽媽也要以身作則喔！

父母的功課

讓孩子每個禮拜，找一位他平常比較不喜歡的朋友一起玩。然後請兩位小朋友分別寫出對方的優點。寫對方優點越多的小朋友，就是勝利者。爸爸媽媽可以準備一份小禮物獎勵。

先讓小朋友發現對方的優點，才能學習「真正」讚美的話。

第七課：心胸和氣度，小事見微知著

「氣度蓋人，方能容人；氣度蓋世，方能容世；氣度蓋天地，方能容天地。」能容多少人，就能成就多大事……小事卻決定了未來的發展。

一、心胸與氣度

大部分的孩子和朋友相處時，經常表現出很強烈的佔有慾，凡事都以自我為中心，不能容許別人比自己好，也不能和別人分享自己擁有的東西。甚至看到別人比較要好，不但不能與人同樂，還會產生妒忌、懷疑、不安等負面情緒。歸咎原因，主要還是因為心胸不夠寬廣。這是人的本性，但卻是需要被教導的功課。

一個人的心胸夠不夠廣闊，往往決定了一個人未來的格局與成就。一個人的心胸

一個人的心胸夠不夠廣闊，
往往決定了一個人未來的格局與成就。
一個人的心胸越大，
氣度越恢弘，
日後的人生也會越成功，
過得越幸福快樂。

越大，氣度越恢弘，日後的人生也會越成功，過得越幸福快樂。而一個人的心胸不夠寬廣，最大的原因是過度以自我爲中心，且是以自尊心和自利爲出發點，把自己看得太重要了，認爲自己的意見一定是對的，把自己的意願強加給人。這種自我意識越強烈的人，心胸就越狹窄，越容不下別人。

多元的年代，每個人的自我意識都很高，對待問題的想法和角度，沒有標準答案，也無所謂對錯，各自有各自的想法。若用自己的標準衡量別人，常會覺得別人的觀點不合理。如果能站在他人的立場來思考，就較能夠用接受與寬容的態度來對人。當能夠以寬容和尊重的態度來對人時，別人也會正面的回應你。

自私，是心胸不能廣闊的主要原因之一。「私」的意思是什麼?「私」的意思在《戰國策・齊宣王篇》裡有「偏愛」的意思，「自私」就是「自己偏愛自己」，而且「只愛自己」。因爲只愛自己，而不懂得愛別人，只注重自己的感受，不注重別人怎麼想，一切以自我爲中心，一點小問題，在心裡就無限放大，甚至造成自己的問題，也造成別人的問題。

如果我們能夠了解，別人和我們一樣，希望受到重視，希望受人關愛，受人尊重，我們用同理心來理解他人的想法，任何事情都能感同身受，就知道如何對待別人了。打破自私自利，以自我爲中心的狹隘想法，用包容、接受、認真誠意對待他人，肯定能受人歡迎，所謂「氣度蓋人，方能容人；氣度蓋世，方能容世；氣度蓋天地，方能容天地。」能容多少人，就能成就多大的事。能做到這樣，成爲別人的領袖也是必然的事了。

心胸和氣度的養成，和父母的觀念與教養方式有關，但透過學習知識來培養氣度也是重要的方法，當我們學習越多，越能體會自己的不足，越能懂得謙遜。知見與識見，對養成個人的心胸和氣度有絕對的幫助。尤其要注意的是日常生活中的小事，不要以爲只是件小事，小事的累積就成了習性。爲此，培養孩子的心胸和氣度就從日常生活中的小事開始注意。

二、猜忌與耳語，解讀的角度

要養成一個人的心胸和氣度，其實也是從日常生活中的小事開始。在公共場所或者是團體裡，千萬不要交頭接耳，這麼做容易被人誤認爲在背地裡非議他。人都有懷疑、猜忌的心。自信心不足的人，尤其如此。只要在團體裡，有一件事沒有被邀請參與，就會覺得被排除在外或被邊緣化。所以常會對別人的行爲產生懷疑，以爲那些悄

在公共場所或者是團體裡，
千萬不要交頭接耳，
這麼做容易被人誤認為在背地裡非議他。
人都有懷疑、猜忌的心。
自信心不足的人，尤其如此。

悄話是在批評他。很多人會忽略這一點，因此容易引造成他人的不舒服，乃至引起誤會。事實上，每個人的想法不同，我們認爲對的事情，別人不一定也認同；反之，別人認爲對的，也許自己也不認同。

我同學有個遠房表妹，失聯多年後又連絡上。那時同學的父親正病重，而表妹是個皮膚科的醫生，雖然並不是她父親腸胃科的醫生，但總有一些醫學專業知識。所以，經常來家裡探望她父親，並幫忙照顧。不久，她爸爸還是走了。一次家庭聚餐時，表妹赫然發現表姑（即我同學的媽媽沒有牙齒），脫口說了句：「姑姑，妳怎麼沒牙齒？沒牙齒怎沒去補牙呢？這樣咀嚼會有問題，容易消化不良。」然後轉過頭來對著我同學和她妹妹說：「你們知道姑姑沒有牙齒嗎？」我同學當時只覺得對媽媽很虧欠，那段期間一直忙著照料爸爸的事，並未發現年邁的母親缺了牙，沒去補。她一點都不覺得表妹這樣說有任何弦外之音或責備之意，還很感謝表妹的提醒。讓她不要忘記關心媽媽。但她那性格迴異的妹妹可不這麼想，一口咬定表妹就是在指責她們沒有盡到照顧媽媽的責任，馬上就不高興起來了。台灣有句俚語：「一樣米養百樣人」，我們永遠無法知道同一句話，同一件事，不同的人會有怎樣不同的解讀。更甚的是，當著別人面前和其它人交頭接耳時，那沒有參與的人，又會有什麼不同的想法？若遇上類似我同學的妹妹這種狀況，那就更容易造成困擾了。

一般商業拜訪，也不要在對方的面前和其它人交頭接耳講悄悄話。這麼做更容易引起主人的猜忌和懷疑，以爲你們正在商量什麼勾當，造成他心裡的不悅。另一種狀況是，大家都安靜的在觀看比賽或聽演講，你卻動作頻頻，和朋友交頭接耳講悄悄話，就算別人聽不到你的聲音，那樣的動作也會讓人反感，甚至質問：「到底是來看比賽、聽演講？還是來講話的？」

話無不可對人言，不在人前或背後議論他人，說話做事光明坦蕩，這樣不但可以避免自找麻煩，也不會造成別人的困擾，還能贏得尊敬和信任，這是一個人該遵守的基本原則，也是邁向準紳仕淑女的必要修養。

三、壞習性不是好奇心，請先端正分際

這個世界充滿了無限可能，人的一生可以創造的範圍也無邊無際，好奇心，是一切創造的開端，一個人想要開天闢地、有不平凡的一生，決不是屈居於既有框架，做一個墨守成規的人，所能辦到的。擁有好奇心，才敢於冒險犯難，開創不同的人生。

但是，好奇心是有分際的，正當的發揮好奇心，可以開創不同人生，若發揮不當，卻

可能造成自己和別人的困擾或傷害。

好朋友曾跟我抱怨她遠房的一個小姪女，說：

「這孩子有個壞習慣，不管看到什東西都愛用手摸。上次在百貨公司，她去摸專櫃的琉璃品，差一點把東西摔壞。帶她去另個朋友家聚餐，也是喜歡這樣，人家剛換上新訂製的白色落地窗簾，被她油油的手一摸都有印子了。朋友Alice是有修養的人，沒說什麼，但Alice的眼睛一直飄向窗廉這邊，就知道她非常介意窗簾是否被弄髒。又帶她去Maggie家，這孩子也是這樣，Maggie就直接說：『你要是沒特別的事，趕緊把孩子帶回去吧！』經她這麼一說，讓我覺得很丟臉，不知她從小是受了什麼樣的教育？養成這種壞習慣。」孩子有好奇心固然很好，但家長應該教育孩子，好奇心不是壞習性，在什麼樣的場合，應有怎麼樣的行爲，才不會讓他人感到困擾。

另一個例子：宣宣在公園遇到鄰居推著娃娃車，說：「黃姐好！哇！好可愛的小朋友，多大了？」黃姐說：「是我表妹的孩子，八個月大，這是我表妹Annie。」宣宣說：「Annie好，妳小孩好可愛喔！讓我看一下！」接著宣宣就蹲下來開始逗弄小嬰兒，摸摸她軟軟的頭，摸摸小臉蛋，輕捏一下臉頰，接著把小娃的手拿起來搖一搖再放下，最後說：「讓阿姨親一個，波！」嬰兒的媽Annie站在旁邊，臉上透著憂慮，心想：「喔！天啊！她有沒有感冒？有沒有傳染病啊？竟亂摸我的寶貝，還亂親。下次見到她，要趕快把孩子抱走，不要讓她看到。」

在華人的文化裡，大人看到小孩，不管是誰家的，也不管認不認識，都要上前去摸摸頭，摸摸小臉蛋，來表達喜歡之意。所以，經常是人家父母還來不及阻止，小孩已經被摸了。有些小孩其實不喜歡這樣的互動，父母更擔憂衛生問題，深怕摸孩子的手不乾淨，讓抵抗力較弱的孩子，受到感染。這是家長們最忌諱的事。

好奇心固然是勇敢冒險、創造發明的開端，但好奇心的細節和內容，父母家長在好奇心萌芽時期，就必須十分明確的讓孩子了解，好奇心可以發揮的範圍和群我的關係，好奇心的發想和作爲，要建立在自己的權限內，以不影響或傷害別人爲前提。所以，千萬別一看到喜歡的人或東西，就禁不住伸手去碰觸，這樣只是壞習性不是好奇心，誤用好奇心，很容易出亂子或干擾到他人，讓人不自在，最後造成自己和別人的困擾。

四、守法，通達有「理」走遍天下

在西方文化裡講究的是「法、理、情」，但中國講究「情、理、法」。很多人羨慕西方國家的民主自由，但卻忽略了西方人的自由是建立在嚴格的「律法」之上。在享受民主自由之先，若沒有法律作爲規範，整個社會必然亂成一團。美國是一個崇尚自由的國家。但是，若犯了法，處罰是非常嚴厲的。記得有一回，我和好朋友在一個購物中心(**Shopping Mall**)逛街。突然看到百貨公司前都大排長龍。我們好奇地去探個究竟。只見每個從裡面走出來的人，手上都拿了一罐名牌的皮膚保養品。我們問了排在隊伍中的民眾，他們到底在排什麼？一位女士告訴我們，一九九幾年時，這些名牌化妝品廠商，違反了一條商業法，消費者告發他們，得到勝訴。法院判了這幾家廠商，要無條件作出相關產品回饋消費者。於是有了這些廠商在全美國各地、各百貨公司，無條件贈送他們的乳液、面霜等保養品。這些廠商都是知名廠商，如：**Dior**、**Clinique**、**Estee Lauder**……等。那幾天，從早到晚在美國各地所發放的免費保養品，肯定是難以估計的金額。這就是我親眼看見，民主自由的美國，投機犯法的代價。

國人常有人喜歡攀親帶故做事情：「有關係，就沒關係」，「沒關係，就有關係」。用這樣的方式做事，很不容易釐清問題，事情會變得很難合於公平正義地解決。「關係」不像法律，沒有確切標準，甚至會因爲當事人的心情而有所改變，如果我們處理事情是建立在這種關係不明確，公說公有理、婆說婆有理的情況下，人們必然會吵成一團，結果就是對所有人都造成傷害。

不久前，一位遠房親戚家，發生遺產糾紛，長輩們覺得大家「讓一讓」就好，何必要上法院？用的就是華人那套「情、理、法」來解決。結果，越理越亂。哥哥覺得他是長兄，理當有權力管理沒結婚又沒謀生能力的弟弟那份遺產。還理所當然的編了一套理由：「我拿走弟弟那份遺產，由我照顧弟弟，不然他會被人把財產給騙光呀！」這是把「情」擺在最前面；若是用這種方式處理，哥哥即便得到原屬弟弟的那份遺產，也會認爲那是自己的，在未來「照顧弟弟」的時候，就容易用施捨、控制的心態來對待弟弟，而不會有感激弟弟之情。

但若用西方「法、理、情」的方式來辦理，就簡單清楚多了。先依法律來處理，法律上如何規定就如何分配，如果哥哥真要照顧弟弟，也不會把弟弟的部分都搶光。若哥哥日後生活發生困難時，需要錢紓困，弟弟可以從原來父親給他的財產撥一些幫助哥哥，哥哥不用假借照顧弟弟的理由，霸占弟弟的財產。這時候哥哥會感謝弟弟的幫助，並視它爲「恩典」。

「守法」也是成爲「現代文明人」的條件。人和人相處，難免有衝突，也難免有糾紛。我們應該以「法」來解決事情，而非以蠻力、叫囂或綁架的方式解決。

前些日子，大陸有個朋友，參加當地一個社團，不多久又急忙退出。我問了這個朋友退出的原因。朋友說，我原是想在那個社團學習一些處事態度，卻沒料到，他們處理糾紛，跟土匪沒兩樣。我又何必與一群沒有素質的人爲伍呢？原來這個社團的成員，經常一起到世界各地旅遊。不多久前，因爲到韓國的旅行，部分團員和旅行社有些財務糾紛。偏偏他們和旅行社負責人是朋友，所以沒有簽合約。於是爲了退費吵得不可開交。這社團的成員，爲了向旅行社負責人要回款項，趁他出國時，在機場攔人，強行拿走他的護照、提款卡及身上僅剩的現金，還強押這位負責人到一個酒店，把他軟禁起來。最後結果如何我並沒有問。但是，我朋友得知這個團體是如此野蠻的處理事情。嚇得立刻閃人。他說：「哪天，我不小心惹了誰，可能怎麼死的都不知道？快逃吧！」當這位朋友把這個故事說給我們聽的時候，大家都覺得不可思議，怎麼會有這樣的行爲呢。

當有糾紛的時候，要先以法律規範爲依歸處理；不然，可以找一位公正的第三者協調；最下策，願賭服輸。動用私刑是違法的行爲。

守法，是公民基本素養，從小培養守法的關係，做人做事靠理性，靠溝通，即使與人有糾紛或不愉快時，靠法理情處理，對法理情的認知正確，更能明白自己的處理立場和原則，也更能接受別人的做爲，一個人的心胸和氣度，也可以培養出孟子所說的：「吾善養吾浩然正氣」了。有了浩然正氣，一個人的氣度自然恢弘，人生的視野和格局也會隨之增長。

五、笑容，人際關係的催化劑

「笑容」是人際關係當中的催化劑，
是人與人之間最短的距離，
我們常說：「伸手不打笑臉人」，
當給人一個微笑時，
傳達的訊息如同是在告訴他：
「我喜歡你，願意做你的朋友。」

「笑容」是人際關係當中的催化劑，是人與人之間最短的距離，我們常說：「伸手不打笑臉人」，當給人一個微笑時，傳達的訊息如同是在告訴他：「我喜歡你，願意做你的朋友。」沒有人喜歡每天面對一張哭喪著的臉，看到這樣的表情，心情怎麼樣也好不起來。

鄰居家的小女兒，模樣長得很可愛，五官也秀氣精緻，按理說，應該很容易討人歡心。但也不知道甚麼原因，總是皺著眉頭，不然就是臭一張臉，非常不討喜。後來跟她家人聊天才知道這孩子的親媽媽在她兩歲時就去世了。我們平時看到的媽媽是她的後媽。這孩子從小就希望跟別人一樣有個「媽」，但是有了後媽後，她又覺得爸爸愛後媽比她多，無論後媽怎麼對她噓寒問暖，她都是臭臉以對。小女孩心裡藏著數不盡的憤怒、苦毒、忌妒。她到處惹麻煩，小朋友看到她也都敬而遠之，這孩子在學校沒有朋友，在教會或其他團體中，經常形單影隻。是一個非常孤獨的孩子，家人都爲她感到很煩惱。

這是可以想見的，一個人整天哭喪著臉，任誰也沒興趣接近她，也會沒有朋友。「微笑」其實是可以被訓練出來的，每天對著鏡子練習，不善於微笑，也要強迫自己微笑，想不想笑是我們自己可以決定的事，讓自己的嘴角永遠保持四十五度上揚的表情，總比嘴角下垂的樣子討喜。

西方有種說法：「微笑只需要用到臉上十四條肌肉，而皺眉頭則需要用到七十二條」，照這樣看來，微笑應該是比皺眉頭容易。讓我們回想一下，如果有一天突然在路上遇見一位好久不見的朋友，我們比較容易記得當時他臉上的表情？還是記得他穿的是什麼樣的衣服？我的答案是面部的表情。

很久以前，美國報紙上曾刊登過一則新聞：有一個小男孩被一條沒架設好的電線給灼傷半邊臉。律師在幫小男孩上法庭爭取權益時，請他側身站在台上，第一次先用完好的半邊臉對著陪審團微笑，接著再轉過去改用另一邊被灼傷、扭曲、痲痺的半邊臉再對著陪審團。陪審團只花了二十分鐘就做出判決，判賠十萬元美金給這個小男孩。

這說明了一個微笑的價值應該遠遠超過十萬美金，既然一個微笑對一個人來說是這麼重要，就該好好善用它。與人初次見面時，如果能一直保持笑容，會讓人有「一見如故」的親切感；即便你今天是去請求別人來幫助你，帶著笑容去拜託時，別人也不好意思拒絕你，這就是微笑的魔力。

微笑能散播歡樂、給人快樂，帶來朋友，朋友的快樂也會帶來自己的快樂。重要的是，一個人發自內心的快樂，經常把笑容掛在臉上，必定受人歡迎，因此爸爸媽媽要了解寶寶不愛微笑的原因，並且改掉這個壞毛病，讓孩子對人永遠帶著發自內心真誠的笑容，只要時時對人都能發自內心微笑著，再大的事也必能在笑容裡被包容，能在笑容裡包容別人，更能養成容人的氣度，那樣就不必懷疑有好的人際關係了。

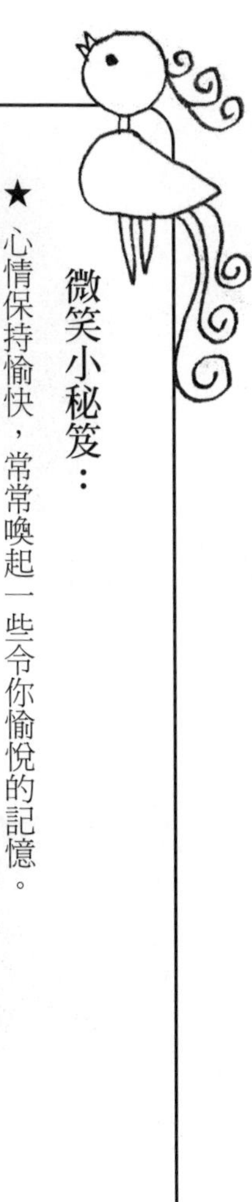

微笑小秘笈：

★心情保持愉快，常常喚起一些令你愉悅的記憶。

★找幾位臉上經常掛著微笑的朋友，留心觀察他們的微笑，把精彩的「鏡頭」封存記憶中，時時模仿。

★經常對著鏡子，嘴巴唸出「一」、「嘻」的長音，每天反覆練習十五至二十次。

★不管歌聲好不好，請多多唱歌。一來唱歌會讓你心情愉悅，二來藉由歌唱訓練嘴巴附近的肌肉，能讓微笑時的嘴型，放鬆又自然。

★選用一根潔淨、光滑的圓柱形筷子（不宜用一次性的簡易木筷，以防拉破嘴唇），橫放在嘴中，用牙輕輕咬住（含住），訓練嘴形習慣向上自然微笑。

選用一根潔淨、光滑的圓柱形筷子（不宜用一次性的簡易木筷，以防拉破嘴唇），橫放在嘴中，用牙輕輕咬住（含住），訓練嘴形習慣向上自然微笑。

貼心的叮嚀

每個受歡迎的人，肯定有一些「受歡迎」的人格特質，也會有一些「受歡迎」的道理。相對的，每個討厭鬼，也一定有不少「令人討厭」的特質和壞習性。建議爸爸、媽媽們，不妨帶著小朋友，觀察團體或身邊的一些「受歡迎的人物」和「令人討厭的人物」，看看他們有些甚麼人格特質和習慣？藉著這些觀察，培養小朋友「受歡迎的人格特質」，也提醒小朋友，多養成「受人歡迎的好習慣」。

父母的功課

小朋友可以選十個在學校或團體中，受歡迎的小朋友，和十個較不受歡迎的對象，作爲觀察。寫出他們五個受歡迎的理由，或令人討厭的理由。

「受歡迎」的小朋友，觀察表	
姓名：	學校或團體名字：
他的優點	你也喜歡這個優點嗎？請圈起來
1.	喜歡、不喜歡
2.	喜歡、不喜歡
3.	喜歡、不喜歡
4.	喜歡、不喜歡
5.	喜歡、不喜歡

「不受歡迎」的小朋友，觀察表	
姓名：	學校或團體名字：
他的缺點	你也喜歡這個優點嗎？請圈起來
1.	喜歡、不喜歡
2.	喜歡、不喜歡
3.	喜歡、不喜歡
4.	喜歡、不喜歡
5.	喜歡、不喜歡

第八課：休閒與參觀禮儀

崇高的藝術能夠陶冶人的性靈，使人品格高尚、舉止優雅、更熱愛生活。

現代人，除正常工作外，經常會以欣賞表演，聽音樂會、看球賽……等，作爲休閒娛樂。爲了尊重表演者、選手及其他觀眾，一些基本參與素養必須提升。欣賞表演、聽音樂會、參觀博物館，都可讓我們涵養個人的內在氣質，也能陶冶性情。對藝術的感悟越深，眼界和內心涵養也越不同，美的元素使人產生美的內涵，美的內涵使人擁有美好的想法，美好的想法引導人具備美的行爲模式，一個人的優雅氣質和鑑賞能力，透過對美的感知更能發揮和表達。培養一個小紳士，小淑女，基本美學是不可輕忽的一項教育訓練，在涵養藝術氣質之前，基本的參與素養，是學習美學的前提。

除此之外，參觀球賽，或游泳、「泡湯」……等等的禮儀，也都要尊重，才是一個有文化、有氣質的紳士、淑女。

一、聽音樂會的禮儀

妮妮好不容易買到二張音樂會的入場券，興沖沖地邀請好友陳小佳一起去欣賞。開演前十分鐘，妮妮已經在音樂廳門口等了，但小佳始終沒出現，直到開演後十分鐘，才見她一頭亂髮、身穿運動服、腳踏運動鞋跑了過來，妮妮一看差點昏倒，對著小佳說：「哎！小佳，這是正式演奏會，妳怎麼穿成這樣？遲到進場，會很丟臉的。」小佳說：「哎呀！對不起啦，我下午太睏睡過頭，我媽出門時，沒叫醒我，我們快進去吧！」說著，就拉著妮妮進入會場。

安靜的會場，只有美妙的鋼琴聲盤旋，但他們倆個人走進來，卻劃破了演奏會場的寧靜，引得好幾雙「注目白眼」，從四面八方惡狠狠地射過來，兩人只能假裝若無其事，趕快找位子坐下來。坐不到五分鐘，小佳手機鈴響了！妮妮小聲地說，「天啊！你手機要關掉啦！很丟臉耶，大家都在看我們了！」小佳說：「是我媽啦，我有點事，我先跟她講一下。」接著：「媽，妳傍晚出門怎沒叫醒我？妳害我遲到了啦。我跟妮妮在聽音樂會，聽完就回去了，媽，我跟你說，我那件……」

突然間，後面有人拍小佳肩膀，輕聲說：「小姐，你可不可以不要再講了？這是音樂會耶！」小佳忙說：「對不起，對不起，很快就好了！」又對著手機：「好了，媽，我不能再跟你講了，記得幫我去乾洗店拿一下那件紅色的洋裝，我明天吃喜酒要穿的，你等一下不要再打來了，我要關機了，有事回家再說，bye！」

小佳才關掉手機，安靜聽不到十分鐘，又不安份了：「妮妮，我想要上洗手間，這裡的洗手間在哪裡妳知道嗎？」妮妮用手指示說：「你小聲一點兒，從這裡出去，再向左轉就看到了。」小佳說：「好，那我先去一下，不先上廁所坐不住。」二十分鐘後小佳才回到位子，妮妮壓低聲問：「你怎麼去那麼久？」小佳說：「上完廁所，想到還有件事要交代我媽，給她打了個電話。」過不了幾分鐘，小佳問妮妮：「妳晚飯吃了沒？我還沒吃耶，肚子好餓，來之前買了一盒餅乾，你要不要也來一塊？是芝麻口味，很好吃的。」妮妮沒好氣的回說：「小佳，音樂演奏會不可吃東西，拜託妳忍一下好嗎？聽完再一起去吃宵夜。」小佳說：「好吧！我偷吃一塊，不然熬不住。」

終於可以安靜聽音樂演奏。聽著聽著，小佳在一首樂章結束後，竟然用力地鼓起掌來，所有人及妮妮都嚇一跳，因爲全場只有小佳一個人在鼓掌。妮妮說：「小佳，妳在幹什麼？怎麼亂鼓掌，在樂章與樂章之間不必拍手呀，這個樂曲還沒結束，要等整個樂曲全部結束後，才能鼓掌。」小佳尷尬地說：「喔！是嗎？我不知道，我覺得演奏得很精采，就忍不住鼓掌了。」

以上雖然是一個誇張的故事，但卻是把很多人觀賞表演或聽音樂會容易犯的毛病，全指出來了。

嚴肅、高雅的音樂演奏會，需要妝扮合宜，男士們請著西裝，並穿上深色皮鞋。女士最好穿洋裝或套裝。穿工作服、牛仔褲和休閒服都不適宜。

參加藝文表演活動，敬請提早到場，不要遲到；萬一遲到，應在外面等候，待一曲終了時，再輕輕走進場。現在大多數的音樂會開演後，主辦單位會把演奏廳的門關上，遲到的聽眾是不得入場的；有些音樂會，會在等候區擺設電視，轉播會場內演出實況，遲到的人就得在這裡觀賞，要等一首樂曲演奏完後，工作人員才會開門，讓遲到的聽眾入場。音樂進行中，請務必記得關掉手機，不要發出雜音，特別是主辦單位在現場收音的場次，任何聲響都會造成干擾。除非萬不得已，也應儘量減少進出，更不要跟同伴講話，不要勾肩搭背或把頭靠在一起，阻礙後面聽眾的視線。

鼓掌的時機，應該在樂曲完全結束時。樂章與樂章當中或組曲當中，請不要拍手。整場音樂會樂曲演奏完時，爲了表示對當晚音樂家的敬意，可以起立鼓掌。假如你不知道何時該鼓掌，就不要當第一個鼓掌的人，避免出醜。

小佳最大的問題，除了禮儀之外，從她的焦躁不安，和處理不完的瑣事，可以看出她本身沒有欣賞音樂的能力，即使人到了音樂會的現場，心卻無法安靜地感受和融入音樂的美好裡，對於欣賞和感受音樂美好的能力，是教育的另一個問題。

二、參觀藝術博物館的禮儀

法國作家羅曼羅蘭曾說過：「崇高的藝術能夠陶冶人的性靈，使人品格高尚、舉止優雅、更熱愛生活。」想提升藝術修養，不妨多多去美術館、藝術館，博物館走走看看，欣賞陳列的藝術作品，感受一下藝術氣息。

美術館、博物館都是高雅的藝術殿堂，進到美術館或博物館，每個人表現出的言行舉止，也該要顯得高雅不俗。和其他公共場所一樣，參觀藝術館的禮節要以「尊重他人」爲主，這是做人的基本禮貌。在美術館、博物館裡，有來自四面八方的民眾，甚至有的是來自世界各國的參觀者，所以要處處體貼別人，不要干擾他人參觀的興緻，這也是對「藝術品及其作者的尊敬。」

參觀藝術館的服裝，要整潔不能隨便。藝術館是高雅的場所，服飾自然要正式高雅以免失禮。一般來說，男士著西裝或僅穿襯衫打領帶，再穿上乾淨的皮鞋即可。女士則以套裝、洋裝爲宜，但絕對不要穿運動服、牛仔裝、沙灘裝、迷你裙或無袖背心。不建議女性朋友穿走起路來有聲音的高跟鞋，因踩在地板上發出「扣扣扣」的走路聲，引人側目。

存放於世界各地美術館、
博物館的收藏品或展覽品
都非常珍貴，
有些展品甚至是百年
以上的古畫或古文物。

為了保護這些珍寶，
美術館、博物館都禁用閃光燈。
大多數美術館也嚴格規定，
禁止拍照、攝影。

爲表達對藝術品及藝術家的尊敬，參觀時請不要拎著大包小包，有如上超級市場一樣。也爲了怕大型背包、雨傘等，在走動或轉身時不小心碰觸展覽品，造成展品的刮傷或損毀，隨身物品請預先放在美術館或博物館外附設的置物櫃內，不要攜到館內來。

存放於世界各地美術館、博物館的收藏品或展覽品都非常珍貴，有些展品甚至是百年以上的古畫或古文物。爲了保護這些珍寶，美術館、博物館都禁用閃光燈。大多數美術館也嚴格規定，禁止拍照、攝影，杜絕複製品充斥市面。

通常美術館、博物館裡會有解說員，可以跟隨解說員的腳步前進，耐心聆聽解說。如有不明白的或是疑問，也可以在適當的時機請解說員說明。此外，現在世界各地的美術館或博物館都備有預先錄好的隨身導覽機，參觀民眾若有需要，可以在進場時像展館租借，透過這些導覽，可以更了解展品的內涵。

親戚、朋友結伴參觀，應互相照應，不要自顧自觀展，和親友越走越遠，以致中途失散。年齡太小的孩子，儘量不要帶去參觀。但已經上小學的孩子，家長或老師就可帶領他們參觀，並且對他們解說。這是最好的歷史和美學教育。

所有美術館、博物館都禁止參觀民眾用手觸摸展品，因爲無論是歷經千百年的物品或是藝術家的創作，都非常脆弱，如果每個人都用手觸摸那些珍寶，那些名家畫作，那些古文物，豈不早就汙損變形，損壞殆盡？所以，爲了讓這些珍貴的寶物能流傳千古，即使再喜愛，再好奇，都請不要忍不住用手觸摸它。

參觀美術館、博物館是很好的親子活動，也是培養孩子歷史和美學概念最佳的方法。女兒很小的時候，我就帶他到美術館或博物館參觀。記得那時候，台灣正開始引進世界名家的畫作和雕塑作品。我帶她去觀賞前，都會先把相關書籍和畫冊拿給她看，也藉機跟她講述這些名家的生平和作品特色。當女兒到現場看了展覽的真跡後，有如看到一個久違的老朋友一樣，充滿親切感。對她所讀到的故事就有更深刻的了解。

家長在帶孩子參觀展覽時，不僅要教會孩子遵守在美術館、博物館的參觀禮儀，也可藉著觀賞珍貴文物，建立親子關係，培養他們的氣質。

三、看球賽，請注意公眾禮儀！

除了以上的藝文活動之外，也有不少家長會帶孩子參加體育活動，例如：到球場觀賽，或是到公共泳池訓練泳技。這些體育活動雖不像藝文活動有許多長期建立的繁文縟節，但是公眾禮儀仍然不能忽視。

許多人喜歡直接走進運動場觀賞比賽，感受現場觀賽的臨場感，又可爲自己喜歡的選手、球員加油。四年一次的奧運、美國職棒、美國職業籃球NBA、世界盃足球賽、乃至臺灣職棒……等等，都吸引無數的球迷前往現場觀賽。

球賽時，球迷大多很熱情，但缺乏禮貌的球迷，在會場的表現往往造成別人的困擾。爲了支持自己喜愛的球隊或球星，朝著對手球隊支持者挑釁、叫囂，形成場內比賽，場外吵架的狀況也時常發生。在國際賽事中，常見到愛國球迷失控的表現，現場打群架、互丟瓶子、丟石頭，或棍棒齊飛……甚至世足賽還出過人命，這些都不應該發生在球場，畢竟有「禮」才能走遍天下，觀賞比賽是很愉快的活動，應該要快快樂樂的參加，平平安安的回去，對於所支持的隊伍，不論輸贏都要樂於接受。觀賽時，也應該把紳士、淑女的風度拿出來，具備基本禮貌，才是有文化素養的作爲，這些都是運動愛好者，應該要好好學習和注意的地方。

觀賞任何一種比賽，都必須準時進退場，中途不可隨便離席。有些人不管是看電影、聽音樂會、觀賞球賽，都喜歡遲到早退，有這種習慣的人，不僅對表演者或參賽者不尊重，也影響其他觀眾的觀賞心情。進出比賽場所應嚴守紀律，爭先恐後容易造成紛爭和危險。比賽場地不可擅自闖入，比賽中間，不管是否滿意球員或選手的表現，甚至裁判的判決，都不應以空罐、紙屑、果皮、垃圾當作宣洩情緒的武器，任意投擲在場內。這不僅會影響比賽，也是非常缺乏公德心的行爲。

四年舉辦一次的世界盃足球賽，常常會遇到許多衝突狀況。各隊的支持球迷，壁壘分明，彼此間互相看不順眼。每次舉行，各國員警如臨大敵，地鐵、火車站、機場，都派有重兵駐守，深怕各國球迷情緒失控。還得要主辦單位祭出殺雞儆猴的「足球流氓防堵政策」，開賽前一一過濾，逮補到可能滋事的份子，就將他遞送回國。這樣的球迷，花大錢買機票觀賽，卻因鬧事，被遞送回國，以後只怕再也沒機會親臨現場看球賽了。所以要牢牢記住：「歹事不要做，壞事傳千里。」觀賞球賽，還是得保持紳士淑女的風度。

假如不認同裁判做的判決，也不要隨便辱罵裁判及運動員，尊重裁判的裁決。有比賽就會有裁判，裁判的判決難免會有爭議；不管對於這個判決是否抱持不同的看法，如果不尊重判決，所有的判決都將不具意義。比賽需要定勝負，所以所有人都該尊重判決，這代表尊重遊戲規則。

家長帶孩子一同出席體育賽場，應給予孩子機會教育，比如什麼是「運動的真諦」？以奧運會來說，奧林匹克的精神是重在「參與」，強調運動員之間和運動團隊之間的競爭，並不認為這是國家之間體育實力的較量。參加比賽的主要目的是培養「運動精神」，即做到遵守比賽規則、服從裁判、尊重隊友及對方的隊員，「得冠軍」不是終極目標，不管球賽的輸贏是那方，都該坦然接受，衷心的祝賀。

父母是孩子最好的榜樣，當父母發表意見或評論時，一定要客觀而積極，不要對裁判及球員妄加評論，口出惡言；如果對比賽的過程擔憂，或對某個球員失望，也不要亂發脾氣。應保留自己的意見，因爲這只是一場遊戲，即使自己支持的球隊輸了，也沒什麼損失，父母應儘量和你的孩子一起分享比賽的樂趣。

公共泳池和大眾溫泉池最需要注意的是衛生。

四、公共泳池及溫泉的禮儀

游泳和泡溫泉都是家長可以帶著孩子一起參與的親子活動，但是一大群人一同浸泡在同一池水中，有許多細節必須要注意，才不致招來紛爭。

公共泳池和大眾溫泉池最需要注意的是衛生。患有眼疾或傳染病的朋友，一定要有自知之明，不要進入池子裡，把病菌傳染給其他人。尤其是結膜炎或皮膚病，特別容易傳染，別貪圖自己一時的快樂，讓他人的健康安全有疑慮。

另外，游泳池的水，不像海水浴場一樣會流動；游泳池的水，也不像海水具殺菌作用。在泳池游泳，絕對不可在池裡吐痰或尿尿，那是極不衛生的。

下水前，請記得先洗腳和淋浴，把身上的汗垢洗乾淨，才不會汙染池子，讓其他人能安心戲水或泡湯。還有，下水時一定要記得戴泳帽，一方面可防止掉落的頭髮堵住出水口，一方面也可免於頭髮直接泡在含氯的泳池，或是有硫磺的溫泉，而傷了髮質。

小朋友到了游泳池難免興奮，總是喜歡抬起雙腿不斷擊打水面，把水往別人身上灑去，或故意把同伴推到水池裡。如果家長發現孩子如此的行爲，請立刻制止。雖然，打水嬉鬧是很開心的事，到泳池游泳戲水，本來就要盡興，但是被水濺到的人，可不見得會開心。而不經意地把同伴推到泳池裡，更是危險的動作，萬一被推下水的孩子不會游泳，或推的力道太強撞到池邊的硬物，都有可能造成意外，千萬輕忽不得。

情竇初開的青少年，對女性穿著泳衣非常好奇。有些小男生喜歡潛入泳池偷窺女生的身體，甚至還會不由自主的觸摸她們的身體，這都是需要即時糾正的心態，不僅有失紳士風度，也可能觸法。有些「溫泉」大眾池是不分男女，並且著泳裝入池。有些則是男女分開，裸裎入池。到這種泡「裸湯」的地方，一些基本的泡湯禮儀一定要注意。

我剛回台灣時，教會的弟兄姊妹相約「泡湯」。原以爲穿泳衣入池，心想：「誰怕誰呀？」，哪曉得到了溫泉飯店，帶隊的姊妹說：男生一間，女生一間，各自到自己的溫泉室。進了溫泉室看到池子裡一個個一絲不掛的女人，才知道這是「裸湯」，嚇得我差點奪門而出。但是，既來之則安之，如果心態健康，裸裎相見並無不可，沒甚麼好害臊的。泡「裸湯」雖然男女分開，可是就算是同性，也不該眼睛一直盯著光裸的身體看，會讓人感到不舒服。通常溫泉池邊都會擺有長椅，供泡湯的朋友短暫的休息。泡湯的人可坐、可躺，休息個十幾、二十分鐘，再回溫泉池。有些朋友躺在這長椅上，身體光溜溜的，沒半點遮掩，實在不太雅觀。建議女性朋友，身體離開溫泉池時，就拿一條毛巾裹住身子，一方面避免溫差大而感冒；一方面也顧及淑女風範。

無論是游泳池或溫泉池，都備有沐浴間。沐浴洗澡後，不要留下掉落的頭髮，堵住排水溝；也請把垃圾丟入垃圾桶，要把沐浴間清理乾淨才離開。

五、別造反，要運動

「運動」是健康的休閒活動，尤其是籃球、棒球、足球等，需要團隊合作的球類活動，這些不僅能強身健體，也是非常好的社交活動。對於一些活動力很強的孩子，與其讓他漫無目的的「造反」，倒不如讓他學一個可以發洩精力的正當運動，既消耗體力，又能學習運動技能。

運動也是很好的親子活動。華人爸爸大多忙於事業，比較少有時間和孩子相處。爸爸可以和孩子一起打球、運動，自己鍛鍊身體，又可和孩子建立親子關係。

美國NBA職籃著名的華裔球星林書豪，從小就因爲爸爸是個籃球迷，愛看球賽，更愛打球。小小年紀的，林書豪就跟著爸爸和哥哥一起看球賽、一起打球，後來連林媽媽都加入看球賽的行列。直到今日，林書豪已經成了家喻戶曉的「林來瘋」。每次林書豪出場比賽，整個家庭都一起關注，更經常看到球場旁邊林家大大小小一起爲林書豪加油的身影。這是藉著運動，串起家庭關係最好的例證。

我的女兒從幼兒園到小學三年級都在美國華盛頓就讀。美國是一個非常重視運動的國家，社區、學校或公園都設有羽球場、籃球場、棒球場、網球場……等，不僅提供社區居民使用，也會在假日舉辦運動聯誼活動。我們家爸爸很愛運動，會善用這些

對於一些活動力很強的孩子，與其讓他漫無目的的「造反」，

倒不如讓他學一個可以發洩精力的正當運動，既消耗體力，又能學習運動技能。

運動設施。每天傍晚，我會預先準備好隨身的水罐、網球拍，並做好的熱狗麵包，等著爸爸下班回家；而父女倆在吃過簡單果腹的熱狗麵包後，換上運動服、穿上球鞋，就到網球練習場打球。只見爸爸拿著大球拍，女兒拿著小球拍，兩個人對著牆壁練習；女兒當時年紀還小，撿球的時間自然居多，可是光是撿球所消耗的精力，都足以讓她晚上回家睡個好覺了。那段溫馨可愛的時光，至今都讓我們難以忘懷。

球類運動大多需要群體合作，才能完成。這也是孩子們學習與人合作的好機會。

這個時代講求分工合作。不論是國家大事、企業運營、社團發展，乃至家裡的大小事，都需要靠著大家同心合力才能順利完成。無論你權力再大、能力再強、地位再高，若不跟別人合作，成就肯定有限。而需要講求團隊合作的球類運動，剛好提供現在一些獨生子、獨生女，最好學習與人合作的環境。

我看了很多有關林書豪的新聞報導，每次記者問他轉換到一個新球隊後，最重要的任務是什麼，他總是回答：「我要想想看怎麼協助我的隊友，讓球隊得分。」這當中，林書豪從沒有說過如何爲「自己」爭取任何表現；也許這種「成功不必在我」的態度，正是林書豪之所以能成爲「林來瘋」(Linsanity)的關鍵，也是「與人合作」最值得學習的「態度」。

運動也是訓練孩子
「反應力」最佳的方式。
會運動的孩子，
絕對不是「頭腦簡單，
四肢發達」的人。
運動比賽需要全神貫注，
需要有謀略，
面對瞬息萬變的競賽，
還需要有靈敏的反應。

總而言之，爸爸媽媽在孩子小的時候，就應該要選一項運動，一方面強身；一方面促進親子關係，也可以訓練孩子的反應力及學習團隊合作的精神。

禮貌是兒童與青年所應該特別小心地養成習慣的第一件大事。——約翰·洛克(John Locke)十六世紀英國哲學家

貼心的叮嚀

無論任何一種休閒娛樂活動，都要展現良好的禮儀。靜態的音樂會、參觀博物館，動態的觀賞球賽和游泳、泡溫泉，都有一定的規範和習慣。那是為了保障除了「你」之外的其他人，也能享受那些休閒娛樂。一旦踰越了那些規範和習慣，就叫「失禮」。爸爸媽媽們，希望自己的下一代成為受人尊敬、讚賞的「紳士」、「淑女」，在享受休閒娛樂時，不要忘了，那也是教育孩子的好機會。

三 父母的功課

家長可以將本章所提的四種休閒活動中，必須注意的禮儀，講述給孩子聽。再請孩子分四個篇幅，分別寫下每一種活動應注意的事項，鼓勵孩子寫越多越好。當孩子寫下來之後，爸爸媽媽可以針對這四項活動，逐一帶孩子前去參加。譬如：當孩子聽完音樂會回家時，讓孩子對自己所寫下的「欣賞音樂會禮儀」，做一評分，並問問孩子，自認做到幾項？以此類推……。

讓孩子自我評鑑，可以讓他學會約束自己，而達到大人及社會要求的禮儀規範。

第九課：食的禮儀—基本家教學

一個人有沒有「家教」，通常藉由行為舉止是否適切來判斷的……。

食、衣、住、行，這些日常生活中必須做的每件事情，只要掌握原則，隨時正確地運用在生活當中，家長們無須花錢找專家指導美姿美儀，也可以讓孩子從小養成習慣，自然而然展露出合宜的氣質，展露良好的「家教」。

在各項生活領域中，我們就從「食」的涵養開始談起！有句話說：「民以食爲天」。華人見面打招呼，會問：「你吃飽沒？」朋友相約見面的地點，通常是「餐廳」。可見「吃飯」這件事，在我們日常生活中有多麼重要。再加上，中西飲食文化歷史久遠，甚至有專家專論研究「食的美學」，家庭教育中自然不能輕忽。但是，要學「吃飯」的禮儀並不難，一天三餐外加聯誼宴會，「練習」和「檢核」的機會多得是。只要把握機會，注意每一個細節，你會吃得很有「氣質」。

一、民以食為天，從餐桌禮儀開始

世界各地的飲食文化不同，各有風味，各有特色。其中日本的飲食文化一向給人精緻優雅的印象，無論是茶道、和菓子，或是各種食器、擺盤，日本的飲食文化處處充滿了「精緻」。二〇〇五年，日本特別通過了《食育基本法》，將飲食教育立法規範，提升「食」的各種面向與重要性。

中華民族也以千年飲食文化爲傲，因此自然不能輕忽飲食的教育。尤其請客、吃飯，一直是華人最普遍的應酬方式。而餐桌禮儀，就是別人評價你有沒有教養的指標之一。

(1) 中餐禮儀

即便速食文化已經漸漸進入華人的飲食，華人主要的餐食還是以「中國菜」爲主，這是全世界各大菜系最受歡迎的美食之一，很多連筷子都拿不好的外國人，也要用拙

華人主要的餐食
還是以「中國菜」為主，
這是全世界各大菜系
最受歡迎的美食之一，
很多連筷子都拿不好的外國人，
也要用拙劣的「筷子功」
品嘗中國美食。

劣的「筷子功」品嘗中國美食。在歐美國家，他們甚至將品嘗「中國菜」視爲高級的享受，也把上中國餐館做爲宴請貴客的選擇，所以「如何食用中餐」已經不僅僅是華人的實用生活技能，更是一門全世界深入探討的技術和藝術。

吃中國菜時，大部分會使用圓形餐桌，菜餚也會一大盤或一大碗置放於餐桌中央，大家再用筷子或湯匙拿取。

坐在圓形餐桌旁時，身體應該保持挺直，兩腳併攏，不可彎腰駝背的癱在座位上。雙手的手肘也不要撐在桌面上，或將兩隻胳膊不顧一切地往外張開，妨礙鄰座的人。個人用餐最適宜的距離寬度應該是與肩同寬，挺直座立時與桌面保持一個拳頭的距離，用餐時微微前傾，讓食物不致灑落在身上。

當菜餚上桌，無論從哪個位子上菜，理所當然要由主賓先取用；千萬不要菜一端上來，就自顧自的動起筷子，猴急的態度會讓人覺得很沒禮貌。此外，不管取用哪一道菜、也不管主賓有沒有要食用那道菜，只要主賓尚未動手，其他人都不該率先取食。

當然，換個角度想：菜上桌後，主賓若不立刻取菜，就會使周遭人感到困惑。假如自己是這個餐會的主賓，就應該有警覺性，先爲兩旁的賓客夾菜，隨後立即取用自己的份；若還沒吃完上一道菜，或正跟其他賓客談話，也要記得客氣的提醒：「大家先來，我一會兒再夾。」若是有不想食用的菜，也要表態請大家取用，這樣就可以避

吃中國菜時，大部分會使用圓形餐桌。

坐在圓形餐桌旁時，雙手的手肘不要撐在桌面上，或將兩隻胳膊不顧一切地往外張開，妨礙鄰座的人。

取菜時，份量也要適中，即便是你最喜歡的菜上桌，也不應一次夾太多，別人還要吃呢。

在使用轉盤時也要注意，要等到菜轉到自己面前時再動筷，不要搶在鄰座前面。

免互相等對方夾菜的尷尬狀況。

通常正式的中餐廳，都會在每位客人的桌面上擺放筷架，筷子取用菜餚後要放在筷架上，不要直接放在桌子上，這樣可以保持桌面和筷子的乾淨。若筷子不小心掉落地上，可舉手示意或輕聲請服務生換一雙新的給你，千萬不要從地上撿起來，用紙巾擦一擦再繼續使用，不但不衛生，也非常不雅觀。另外，用餐中途有事要暫時離席，應把筷子擱在筷架上；若沒有筷架，也可擱在碟子或湯匙上。有些小朋友吃飯時，喜歡把筷子插在盛滿米飯的碗裡；爸爸、媽媽一定要及時制止，在某些地區這是很嚴重的禁忌，這樣的行爲有如將香插在飯上祭祀一樣，非常不禮貌。

中餐所使用的餐具非常簡單，但是有些規矩常被忽略。最常見到的是雙手齊用，就像舞刀弄槍一樣。進餐時如果需要使用其他餐具，要先把筷子放下來；當然有時會使用筷子來幫助勺子取用食物，但如果用不上的餐具，一定要放下來，別兩手都抓著餐具，不但危險，一不小心說不定會傷了旁人。

如果已經舉起筷子，卻不確定要吃哪道菜時，請把手收回來，考慮好再取用，千萬不要讓筷子停在半空中。用餐過程中，如果需要和賓客談話，也不要揮舞有食物的勺子，更不要用筷子對著別人指指點點。我曾看到有些很沒規矩的孩子，把筷子拿來當樂器，胡亂敲打桌面和碗碟，這都是用餐時被禁止的。記得曾聽到長輩說：「只有乞丐在討食時，才會用筷子去敲打碗盆。」可見得這是一種文化上的忌諱，也被視爲不禮貌的行爲。

傳統的中式料理是大家圍坐圓桌，一起分食餐桌上的佳餚，但是每個人都拿自己的筷子或湯匙往桌上的公盤或公碗夾菜、舀湯，筷子或湯匙上，已沾著每個人先前食用時的口水，口水再藉著筷子、湯匙溶進公盤、公碗中，實在不衛生，萬一將感冒或其他傳染病藉著口水互相傳染，可就不妙了！在臺灣吃中式合菜，爲了講究「衛生」，避免B型肝炎藉由飲食過程中傳染，在一九八〇年代，政府和民間便提倡「公筷母匙」，這個用餐禮節不僅在臺灣被重視，也逐漸爲世界各文明城市採用，所以爲了實際需求及尊重別人的禮儀，千萬別拿自己使用過的筷子往菜餚裡夾，造成其他人的不安。

不過有些人即便使用「公筷母匙」，還是喜歡在大盤裡「挑菜」，拿著公筷在餐盤裡面，又翻又撿，找自己喜歡吃的料，彷彿其他人都該吃他撿剩的。每個人對食物各有所好，選擇自己愛吃的食物並不爲過；但若真想挑肥揀瘦，最好先看清楚「目標」再下筷，不要像挖寶似的在菜盤裡翻找。取菜時，份量也要適中，即便是你最喜歡的菜上桌，也不應一次夾太多，別人還要吃呢。此外，千萬不要夾了菜到自己的盤子後，又把多餘或不用的菜放回大盤中。至於不小心掉在桌上的菜餚，也不要覺得可惜，又把它夾回盤內，那也是十分不衛生。

另一種「中菜西吃」的方法，是在開動前先把菜餚都分配到個人的小碟中，如此可減少賓客用個人筷子夾菜的機會，不但可省掉很多麻煩，相對也比較衛生。現在還有很多餐廳提供「簡餐」的服務，把各人選擇的主菜和配菜都安排好了，這也很方便，不用別人再給你「夾菜」吃。這兩種的概念是一樣的，可以讓每個人輕鬆簡便的食用適量的餐點。

在華人的飲食文化中，爲表示對客人的歡迎，特別喜歡替人夾菜，甚至有些地區的筷子，爲了方便幫人夾菜而加了長度。我個人不大喜歡替人夾菜，也不喜歡別人夾菜給我，因爲客人喜歡吃什麼，自己就會夾；而且你夾給別人的菜，不見得是他想吃的。有些人挑嘴挑食，如果你一番好意把菜夾到他碗裡，對方要丟也不是，不丟也不是，爲了禮貌又不能不吃，不吃完卻變成是一種浪費，反倒成了他的不是……。尤其對方若是個老外，對中式餐飲未必全盤接受，夾不喜歡的菜給他，反而造成他的困擾。然而，爲客人夾菜是華人的習慣和待客之道，即便我個人不是太喜歡它，卻也不能全盤抹滅。也許在爲人夾菜前，先詢問對方，是否有忌諱吃該道菜餚？這樣就能避免，夾給對方的是對方不敢吃的菜餚。

順帶一提：外國人普遍拿不好筷子，若是餐廳沒有提供服務員全程分菜的服務，主人可以禮貌性的詢問外賓，是否需要爲他服務；這樣設想無須勉強，因爲這是外賓自己的需要，彼此尊重就不致造成對方的困擾。

有一次我到大陸某個城市訪友，朋友請我吃飯，服務員遞上一盤肉，我看色澤就覺得怪怪的，因爲猜不出是什麼肉，所以我連碰都不敢碰。當時我感到很害怕，要是熱情的主人夾肉過來給我，這該怎麼辦呢？幸好主人只說：「來來來！鄭老師，這是我們這裡的特產——狗肉，吃吃看！」我是從不吃狗肉的，一聽是狗肉，簡直快吐出來了，更別說要把肉放到我碗裡。因此，將心比心，別隨便給別人夾菜，如果夾錯了菜，不但浪費了食物，更造成了別人的困擾。

比較小的孩子在餐廳吃飯，通常是爸爸或媽媽爲他夾菜。爸爸媽媽們也要特別注意，不要菜一上桌，就急著爲孩子夾菜，好像深怕孩子吃不到似的。我的朋友是個單親爸爸，素來就疼惜那個失去媽媽的寶貝女兒。每次教會聚餐或朋友請客，他總自顧自地幫寶貝女兒夾了滿滿一盤，有時餐點是有限量的，經過他老兄這麼一掃，有些人就吃不到了。這不只「吃像難看」，也造成主人的困擾。久而久之，別人對他的邀約就少了。

「給人夾菜」的文化，可能是怕某道菜距離客人太遠，怕對方不好意思夾或夾不到菜，爲了表現主人「好客」之意，所以代爲夾取。但現在中餐廳多使用附轉盤的圓桌，喜歡吃什麼可以利用轉盤取得，不太需要別人代勞。

在使用轉盤時也要注意，要等到菜轉到自己面前時再動筷，不要搶在鄰座前面。轉盤在轉動時，要順著轉盤的方向，若是往順時針方向，就不可以再往逆時針方向轉動，否則轉盤僵持不下，所有人都不能取用菜餚，是非常失禮的。

要經常使用餐巾把手指和嘴擦乾淨。特別是小朋友，很容易吃得滿手、滿嘴油膩膩的，爸媽在旁邊要幫孩子留意，並教導小朋友隨時記得擦拭。很多小朋友在食物塞住牙縫時，會用指頭去剔牙，那是很不雅觀的行爲，家長一定要記得制止。食物塞牙縫時，盡量不要直接在餐桌上就使用牙籤，應暫時到洗手間好好漱口，或用牙籤好好剔牙，若必須當著別人的面使用牙籤，也要用另隻手遮住嘴巴，才不會失禮。

(2) 西餐禮儀

比起吃中餐，西餐的禮儀對我們就比較陌生。正式的西餐一整套幾十樣餐具，右手拿刀，左手拿叉，有許多複雜的禮節和用餐方式。西餐的用餐文化也不能如中式文化大聲吆喝、拼酒，吃西餐可是得記得要輕聲細語。

有部美國電影《麻雀變鳳凰》，女主角茱麗亞羅伯茲原是個下層社會的人，男主角李察吉爾卻是一個成功的投資家，有天他要在一家高檔的餐廳和人談生意，爲緩和氣氛，他找了女主角一同前往。來自下層社會的女主角，雖然換上漂亮晚禮服一同出席，但一坐下來看見桌上一堆排得整整齊齊的刀叉，根本搞不清楚該如何使用，女主角吃法國田螺，因為不太會用專用夾子和叉子，結果還鬧了笑話。

「西餐禮儀」從入座就有規矩。歐美各國一向標榜「lady first」女士優先，所以在座如果男女都有的話，依照西方的紳士風範，男士要禮讓女士先入座，女士要入座時，男士必須幫忙拉開椅子，再往前推，讓對方坐下時距離剛剛好，又覺得舒適。如果這個動作由男性服務生來做，男士則應站在自己的椅旁，等待女士坐下。一個能為女士服務，又能尊重女士的男性，已經取得「紳士」的入門票了。

大多數華人吃西餐時，最頭疼的莫過於桌上那些排得整整齊齊的刀叉、盤子及杯子。那麼多的刀、叉，到底要從哪一個先用起呢？基本上，西餐的餐具都是由外側開始按順序使用，每道菜使用一套餐具；食用完畢後，刀叉應該以左叉右刀的方式分別擺放，要注意「刀鋒向內、叉間向下」，並排呈四點鐘方向，整齊放在餐盤裡，便於讓服務人員直接收走。若用餐期間需要暫時離席，就要以左叉右刀的方式，將刀叉呈八字形擺在餐盤上；刀叉尾端要與桌面接觸，這樣擺放的用意是便於服務員明白，還會回來繼續享用，而不會把食物收走。

「餐巾」是正式西餐很重要的配備。通常要等主人動手打開餐巾時，客人才可打

男士要禮讓女士先入座，
女士要入座時，
男士必須幫忙拉開椅子，
再往前推，讓對方坐下時
距離剛剛好，又覺得舒適。

1. 前菜用刀
2. 前菜叉の.肉用刀
3. 喝湯用湯匙
4. 魚用刀
5. 魚用叉
6. 肉用刀
7. 肉用叉
8. 餐巾
9. 點心用湯匙
10. 點心用叉
11. 白酒杯
12. 紅酒杯
13. 水杯
14. 麵包盤
15. 奶油刀

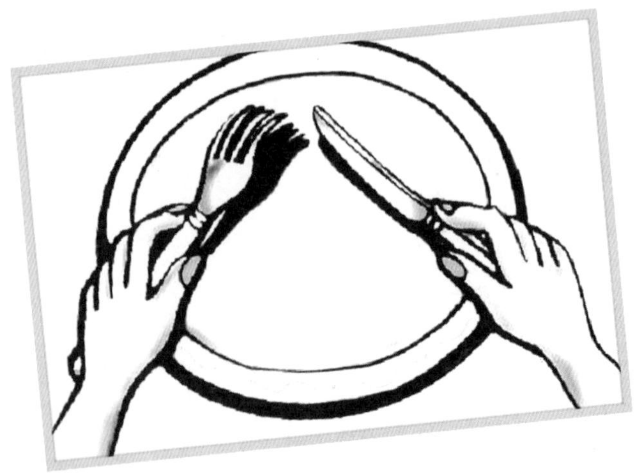

右手持刀，
左手持叉姿勢。

切割時，
以叉子插住肉的一端，
再用刀子切下一口份量的大小。

用餐休息刀叉擺置位置。

用餐畢刀叉擺置位置。

餐巾摺痕對向自己，
放於膝蓋上。
別將餐巾像圍兜兜
一樣圍掛在胸前。

使用餐巾輕拭嘴角。

餐巾不可用來擦臉、擦汗。

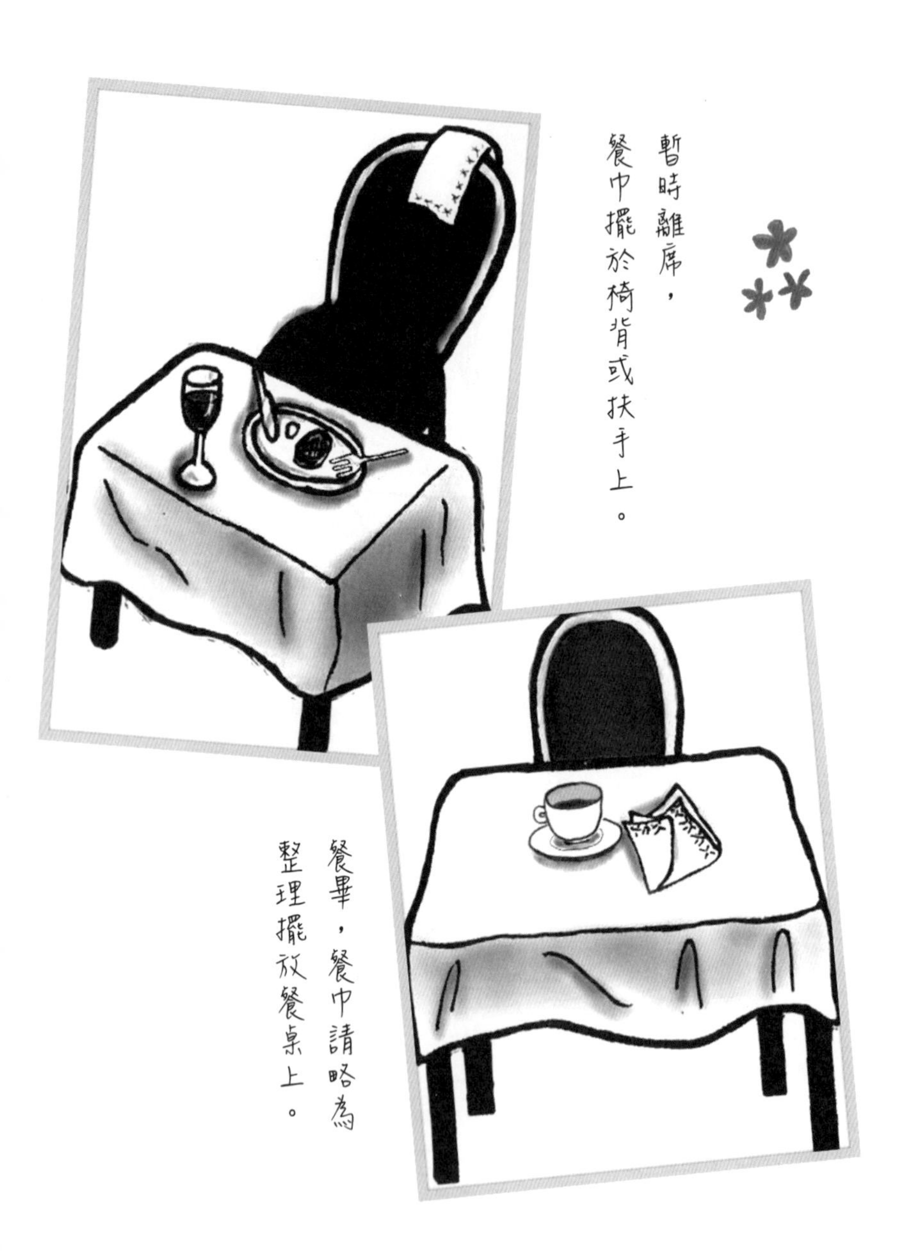
暫時離席，
餐巾擺於椅背或扶手上。
餐畢，餐巾請略為
整理擺放餐桌上。

如需侍者，
通常以手勢為之，
勿大聲呼喚。

如需取用餐桌上遠方用品，
應請鄰座客人幫忙傳遞。

開，並置於膝上。除非是小孩子，請不要把餐巾攤開，像圍兜一樣圍在脖子上，或塞在領口中。如果中途要離開座位，只需要把餐巾稍稍折疊一下，放在椅子上或餐桌上，不要把餐巾弄皺。

西方人吃飯也會聊天敬酒，他們敬酒的方式是輕輕的乾杯，這和華人「拚酒文化」很不相同。他們基本上是不會勉強別人喝酒的，無論喝威士忌或紅酒，都是淺嘗即止，優雅的品出酒香。華人則不然，要大口喝酒才過癮，三五好友喝酒划拳，一定要把對方灌醉。也難怪一位酒商朋友就告訴我，他進口的紅酒，只賣給中國人。他說：「我的紅酒賣給洋人，銷量太慢，洋人又不乾杯，一瓶酒多久才喝得完？中國人乾杯，一個晚上幾瓶沒問題。這才賣得快呀！」雖然這只是個玩笑話，卻清楚地了解華人和洋人在喝酒文化上的差異。所以，參加國際性的餐會時，可千萬別爲了表示熱絡，到處找人乾杯，那會讓人覺得錯愕。

對小朋友來說，到西餐廳吃一整套西餐的機會並不多。小朋友也不能喝酒，不容易了解喝酒文化，但是現代父母還是可以利用機會，帶他們吃份量少一點的西式簡餐。從西式簡餐開始，父母可以讓孩子們學習西餐禮儀，也可用開水或果汁代替洋酒，讓他們體驗西方人的喝酒方式。這些飲食體驗可以幫助孩子們了解西方的「飲食文化」。

對小朋友來說，到西餐廳
吃一整套西餐的機會並不多。
小朋友也不能喝酒，
不容易了解喝酒文化，
但是現代父母還是可以利用機會，
帶他們吃份量少一點的西式簡餐。

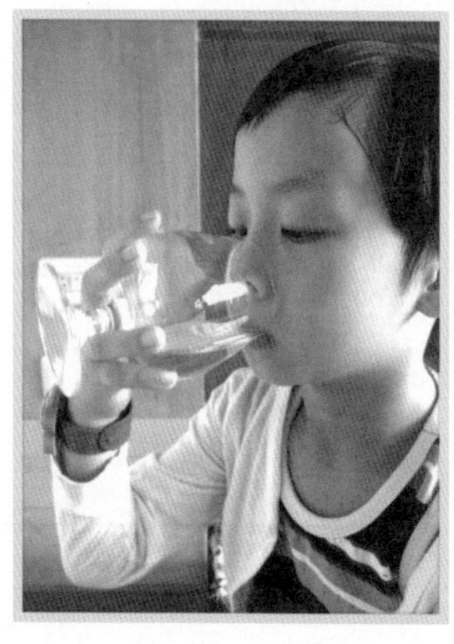

西餐禮儀小秘笈：

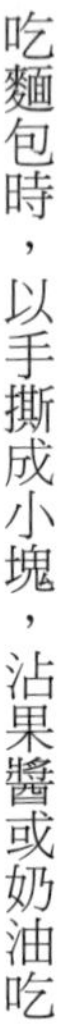

★吃麵包時，以手撕成小塊，沾果醬或奶油吃。

★擦嘴或擦手時，請用餐巾內側擦拭。

★吃甜點時，通常會附上湯匙或叉子，請使用隨餐附上的湯匙或叉子食用。

★當上菜時，若有附上洗手水，即代表這份餐點「請用手吃」，食用後要用洗手水將手清洗乾淨。

★若是中途離席，不能再回來用餐時，應告知主人原因，並趁上菜空檔快速離開。

★需請服務生服務，以眼神或稍微舉手告知就好，千萬別大聲呼喊。

(3) 西方酒會文化

西方還有一種文化稱做雞尾酒會 (Cocktail Party) 又稱酒會 (Reception)。酒會經常會在音樂會、表演活動前，或是國慶、展覽開幕、重大消息發佈、公司行號開張等等時候舉辦。酒會場地通常不會安排太多椅子，會提供一些小小的高腳桌，供賓客放酒杯和點心，來賓可以自己取些小點心和酒，自由走動聊天，多認識新朋友並介紹自己。

酒會的目，主要是提供人際社交的機會，在社群、外交、商務活動中，是很常見的形式。雖然酒會的氣氛輕鬆愉快，但參加時仍有些細節需要留意，以免一時不慎壞了形象。

首先，要依照邀請函準時出席；如無法出席，也要即時打電話說明無法赴宴的原因，並表達感謝之意。入場之後，先找到酒會的主人跟他道謝，並讓他知道你已經來了。由於現場賓客眾多，打招呼時的對話要簡短扼要，不要拉著對方說個沒完，佔用主人太多時間。除此之外，見到到場的每一位認識或不認識的來賓，盡量以微笑打招呼。千萬不要從頭到尾當個「悶葫蘆」或「壁花」，一個人躲在角落裡；這會讓主人覺得很愧疚，好像沒把你招呼好。當然，也不要見到一個人，就抓著聊個沒完沒了，這樣會耽誤彼此認識新朋友的機會。

酒會並非正式餐會，提供的餐點不是讓人吃飽的，餐點通常比較簡單，多以小點心爲主，如蛋糕、乳酪、餅乾、小肉捲、魚子醬三明治等比較容易就口、不容易沾到手的食物，方便大家邊吃、喝邊與人聊天。因爲它不是正餐，所以千萬不要老站在點心飲料旁邊，好像你來到這裡就是爲了吃；但也不要對食物一點都不取，好像全場只有你是紳士或淑女，令其它人感到難堪。你可以選擇愛吃的點心，取少量在碟子裡，然後找個合適之處和你的新舊朋友一起享用。

幾年前我受邀參加在洛杉磯的一個私人酒會，跟朋友正站著吃點心聊天之際，眼前突然出現一個奇景：一個十五歲的華裔女孩拿個盤子把點心堆得像山一樣高，然後站著拼命吃，她把酒會提供的餐點當晚餐來吃了，可能沒人提醒她這是一個怎樣的場合，雖然看到的人不好說什麼，但這真的很失態，酒會是給人社交的場所，這女孩把它當自助餐一樣大吃特吃，這種行爲在酒會裡，貽笑大方。

如果必須提前離席，因爲主人大多正忙於招呼賓客，所以不一定需要和主人打招呼；此外，最好別讓其他的賓客知道，以免起連鎖效應；更不能拉著別的客人一起走，否則客人一個個離席，對主人很不禮貌，這行爲簡直就是在拆台。若是這樣做，下次主人可能就不會再邀請你了。

一個有風度的賓客，最好在酒會結束後三天至一週內跟主人致謝，謝謝對方的邀請及招待。

(4) 西式自助餐的禮儀

近年來，很多人喜歡選擇自助餐會 (Buffet) 做爲聚餐形式，這和酒會不同，可以坐下來好好吃，是能讓人吃到飽的正餐，也可以選擇自己喜愛的各式餐點。因爲可以隨自己的喜好、口味、食量挑選桌上陳列的各式菜餚跟飲料，拿到自己的座位吃，並且不限制取餐的分量和次數，是一種能夠輕鬆自在的餐會。

正因爲可以吃飽、自由取用，所以吃自助餐時，須千萬注意：選用食物要適量，吃多少拿多少，不熟悉的食物先少取，吃完再拿。中國人無論吃不吃得完，都很喜歡在盤子裡堆滿餐點。但是吃不完的食物，倒掉很浪費，給人的觀感也不佳。所以，應該盡量將所取的餐點飲品用完。拿自助餐點時，特別要注意衛生，不要一邊拿一邊說話，萬一口水噴到菜裡，多不衛生呀！

就像中餐一樣，吃自助餐也忌諱在一盤料理裡面「挑菜」，想挑出自己覺得最美味的一部份，隨興的在菜裡面亂攪一通，非常沒有禮貌。裝菜餚的大盤旁邊會附有夾子，吃的時候直接從最上面開始夾，不要把擺得美美的菜餚，翻攪得像剛打了一場仗一樣。尤其是，許多父母帶孩子到「吃到飽」的餐廳，放任孩子自己去拿菜，甚至要孩子幫父母順道拿一些；如果沒學過餐桌禮儀的孩子，可能會爲了挑隻大蝦孝敬父母，或是揀選自己愛吃的食物，隨意翻攪菜盤，很沒有禮貌也很沒有素養。

西式自助餐取菜禮儀小秘笈：

★爲了讓取菜隊伍順暢，不知道要如何下手取自己的菜餚時，應先跳過另取它項。

★切記不要翻攪菜餚，盡量夾靠近旁邊的菜，才不會破壞菜色的美觀。

★取菜時應順著取菜的隊伍，別爲了貪快，插隊或逆向取菜。

★夾菜時盡量將自己的小盤就近公盤邊，湯汁才不會灑落。

★取菜時，最好與一般西餐上菜順序一樣，第一盤先取清淡的前菜或沙拉，接著才拿取口味濃稠的主菜，最後才是水果、甜點、飲料。不要一個盤子裡甜鹹混雜，影響菜餚口感，也無法品嘗佳餚特色。

★取菜時，能吃多少才拿多少，不要取得像山一樣高，最後吃不完，暴殄天物。

★已經夾進自己盤裡的菜，即使還沒動口吃，都不可再夾回公盤。

★再怎麼餓，也應將菜拿回座位再吃，不要邊走邊吃，引人側目。

★桌面上，應該只有現在正在吃的一盤，不要偷懶，一次拿了好幾盤，像辦喜宴一樣堆在桌子上。

★吃完一盤，要像正式西餐一樣，將餐具置於盤內，並移到餐墊外，再拿新的刀叉及盤子使用。

★自助餐雖是可以「吃到飽」，但僅止於餐廳或餐會內，千萬別把菜打包帶出會場。

★再喜歡吃的東西也不可拿好幾回，造成其他人無東西可吃。

★殘渣骨頭，放在自己盤子的邊緣，由服務生一併收走，別堆在桌面。

★拿取冰飲料，一定要在杯底墊一張小紙巾，才不會邊走邊滴到衣服或桌面上。

(5) 優閒的下午茶文化

我們熟知的英國「下午茶」，源自十八世紀的英國皇室維多利亞時代。據說它的起緣是一位英國上流社會的女士，面對每天下午時光，感到百般無聊，所以請女僕準備了一些吐司、奶油和紅茶。這種簡便的飲食方式，漸漸流行在英國貴族間，成爲貴族們打發下午時光的好方法。然後再慢慢傳到歐洲，及英國海外殖民地，成爲一種時尚，流傳至今。

我第一次喝下午茶，是一九八四年跟隨家人到南非約翰尼斯堡。一天下午，我們拜訪一位來自英國的白人教授，那是個非常棒，也是印象最深刻的下午茶經驗。

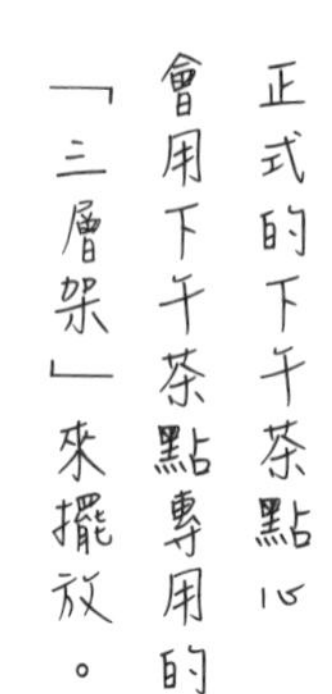

正式的下午茶點心會用下午茶點專用的「三層架」來擺放。

第一層放置口味不同的三明治，第二層放的是英國傳統點心司康餅(scone)，第三層是放小蛋糕及水果塔。

教授爲我們預備英式下午茶，在歐洲，家家戶戶的下午茶模式都一樣，歐洲人習慣用典雅的小推車裝載著各式各樣親手製做的小點心、小餅乾、小茶點，就著一壺紅茶或咖啡，大家就這樣聊著天，消磨光陰。這當中最令我愛不釋手的，是那一件件宛如藝術品的餐具，比如茶壺、茶杯、餐盤、糖罐、小茶匙等，加上餐桌上的佈置擺設，每件都漂亮極了，從那時起，我便愛上了這些藝術茶具及享受下午茶的感覺。

茶與點心雖是陪襯的綠葉，但有質感的茶點可以提升下午茶的品質。英國人喜歡來自印度的大吉嶺紅茶、伯爵紅茶，或是錫蘭紅茶，偶爾也有喝奶茶的習慣。其實對英國人而言，喝茶並不是主要的環節，品嚐蛋糕、三明治、餅乾等點心反而是重點。

正式的下午茶點心會用下午茶點專用的「三層架」來擺放，第一層放置口味不同的三明治，第二層放的是英國傳統點心司康餅 (scone)，第三層是放小蛋糕及水果塔。除此之外，也會擺上一些牛角麵包、葡萄乾、魚子醬。

不過國外下午茶的真正精神，還是在於和朋友相聚談心，共渡悠閒時光，不管茶、咖啡、點心、甚至音樂都只是陪襯罷了。下午茶地點通常會在自己的家中，餐點多是自製。下午茶並不是讓人大吃大喝，也不要把主人家的餅乾都帶回家，那是很失禮的事。雖然「下午茶」在台灣已經很普遍了，但原本的精神卻走了樣。台灣的下午茶都設在咖啡館、餐廳、百貨公司或飯店裡，爲符合民情，甚至發展出另一種模式：下午茶「吃到飽」，把下午茶當成晚餐來吃了。這也形成了新式的「台灣下午茶」文化了。

在學習並了解西方文化的時候，我認爲應該要把重心放在其文化精髓上。下午茶的觀念和中國的茶道其實有異曲同工之妙：兩者的沏茶文化，都是慢慢地沏一壺好茶，再跟幾個好友一面談心一面品茶；兩者的茶杯也都是小巧精緻，喝沒兩口就得再斟滿。

無論是下午茶或是茶道，都是爲了把生活的步調緩下來，可能有些人會說，類似這種「慢文化」在現代的生活中顯得缺乏生產力，但這樣的「慢文化」，把生活步調變慢，與三五好友分享生活的點滴，在彼此的交流中獲得的或許還更多。

下午茶是一種西式的社交管道，不僅大人，小朋友若有機會和家人出席這樣的場合，須多瞭解國外每一種場合該有的文化及禮貌，更可開拓孩子的視野。

「餐桌禮儀」是一種爲了體貼他人，不讓跟我們一起用餐的人感到不愉快的規範。每一個接受文明洗禮的紳士或淑女，都應該了解並遵守。由於文化的不同，每一種餐食都有它不同的禮儀。爸爸、媽媽們，可以利用機會帶小朋友嘗試不同的餐食，也藉機會塑造孩子的禮儀規範。這些「練習」不僅能訓練孩子成爲有教養的人，也能增廣孩子的見聞。

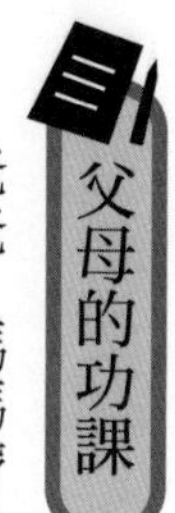

爸爸、媽媽帶小朋友嘗試不同的餐食。讓小朋友自己夾菜、取食，但不一定要即時提醒他們需要注意的規範。當小朋友吃飯或取餐時，請爸爸媽媽照下照片，然後請小朋友根據照片，自我評分。相信小朋友看到自己用餐時不好的行爲，一定會有所警惕，而逐漸改進，成爲真正的小紳士、小淑女。

第十課：衣的禮儀

「因人設事」的穿衣哲學，是對人的尊重和禮貌，穿什麼衣服見什麼人，從衣著可看出一個人的「格調」和「品味」！

「整潔」是一種禮貌，我們不喜歡環境髒亂，當然也不喜歡接觸衣著髒亂的人。當我們邋邋遢遢的面對朋友時，其實對朋友並不「尊重」。試想，如果我們今天要和一位美女約會，或是要去見一位重要人物時，會不會穿戴整齊？因此，我們應該以最整潔的外貌，面對身邊每一位認識或不認識的朋友，讓他們感覺到受尊重？通常，因爲職業的需要，有很多人必須在他們工作時，與髒亂爲伍。譬如：正在值勤務的清潔工人、在廚房洗碗的阿姨……等。但是，當這些工作結束之後，他們也會把自己梳洗乾淨，穿上整潔的衣褲。這不只是對身邊親人、朋友的尊重，也是一種禮貌。遺憾的是，有許多人根本不在乎自己的儀容，特別是男性朋友，常常放任頭髮零零亂亂，滿臉鬍渣，指甲裡充滿污垢，領帶歪歪斜斜的，皮鞋也滿佈灰塵，頭皮屑掉滿肩，襯衫更是皺巴巴，全身充滿酸臭味……，如此的邋遢，讓人相處起來感覺很不舒適，那是對人十分失禮的行為。

除了衣著，其實外表看得到的地方都該一一留意，否則就算穿了華服美衣，衛生習慣卻不及格；即便使用各式香水、香粉掩飾體味，一樣會讓人敬而遠之。

在社交場合，常常需要握手，手部的清潔尤其重要。特別要提醒容易出手汗的朋友，應注意隨時保持手部清潔與乾燥。與人握手時若手溼溼的，一定會讓對方感到不舒服。建議大家勤洗手。如果可以，女性朋友的皮包裡，最好隨身帶一包濕紙巾，萬一手弄髒了，又找不到洗手台時，可以方便清潔你的雙手。此外，女性朋友大多喜歡留長指甲，假如無法經常保養修剪它，建議把指甲剪短，避免指縫藏污納垢，有害健康。

頭髮乾不乾淨也是觀察一個人衛生習慣的指標之一。我們經常看到一些朋友，頂著一頭亂髮出門，或是頭髮沾滿油垢、頭皮屑，不僅不美觀，也非常不衛生。男性朋友，穿著深色西裝，卻不注意頭髮的清潔，一旦頭皮屑掉到肩上，會特別明顯。

要瞭解一個人是否謹慎、有規矩、有教養，其實看鞋子乾不乾淨便可略知一二。職場上，有些老闆會從鞋子來判斷一個人的工作態度是否嚴謹。我曾聽說有些人穿著沒擦拭的髒皮鞋去面試，學經歷就算再好，一樣硬生生被拒絕錄用了。所謂「由小觀大」，千萬不要輕忽這些小地方的清潔工作。

國際著名的華裔大提琴家馬友友，上台時永遠是一雙乾淨光亮的黑皮鞋，並沒有一般人以爲藝術家的「隨興」。我想那是來自從事音樂教育的父親馬孝駿博士，從小對他在生活及各方面的嚴謹教導要求。誰說藝術家一定是不修邊幅？這完全是個人修養與家教的問題；若沒有從小各方面嚴格的要求，成長路上，哪有毅力能持續「練習」？沒有毅力「練習」，再有藝術天份，再有美學薰陶，也難以內外兼修成爲「專家」呀！

跟鞋有關的，就是我們的腳。在亞洲，大部分的家庭是需要脫鞋的。我們經常會造訪親戚朋友的家，進了門總得脫下鞋子，換上主人準備的脫鞋。如果腳太臭，腳臭味會立刻叫人退避三舍。腳會發出不好的氣味，是因爲腳底流的汗，悶在鞋子裡面產生霉菌，霉菌大量繁殖後，散發出的臭味。解決腳臭的方法很多，最簡單的就是，堅持每天洗腳，每天換洗襪子，同時爲自己準備幾雙鞋，可以每天換穿，保持鞋裡乾淨乾燥。

記得幾年前，在柏克萊陪女兒讀書時，大陸送了幾位非常年輕的訪問學者到柏克萊進修。由於這些訪問學者的年齡，都和女兒差不多。我經常開放家庭，招待這些孩子。其中有一位年輕人，給我印象最深。他每個禮拜天和其他幾位教會的男孩子一起打球，打完球，大夥兒就來我家。一進門，這個男孩子總會跟我要求：「阿姨，我可以到浴室沖個腳嗎？」我都回答：「吃完飯再沖吧！」但是，他還是去沖了。他說：「阿姨，我整日穿球鞋，腳的味道不好，還是先沖乾淨吧！不然大家都薰死了。」當下，我對這孩子的體貼刮目相看。

有了良好的衛生習慣，才能有整潔的外貌。但很多生活上的衛生習慣，絕對需要從小養成。孩子小的時候，就應該先教會他們甚麼是「乾淨」，甚麼是「髒亂」。一、二歲的小娃兒，對甚麼都好奇，對甚麼都愛碰觸；當孩子碰觸到髒亂的東西時，大人要立即制止他，告訴他：「這東西髒！」所謂耳濡目染，生活教育更是如此，幾次以後，小朋友看到髒亂東西時，自然不會喜歡碰它，甚至還會告訴你：「髒，髒！」

此外，爸爸、媽媽也要從小養成寶貝每天清潔口腔、洗臉、洗澡、洗頭、剪指甲的習慣。一、二歲的娃娃不會自己洗澡，當媽媽幫忙洗完澡後，孩子一定會感受到清新乾淨的舒服感覺，也會愛上把自己清洗乾淨得身心舒爽。長大些時，每天早上起床，無論當天是否要出門，媽媽都要幫寶寶洗臉、梳頭，梳理完畢後，讓寶寶照照鏡子，告訴孩子：「寶寶好漂亮喔！」或「好帥喔！」此後，寶寶也會喜歡洗臉、梳頭。

孩子的鞋髒了，媽媽要記得告訴孩子：「鞋子髒了，等媽媽擦乾淨後，寶寶再穿好嗎？」同時，讓孩子看著媽媽如何擦他的小鞋；等孩子年紀漸長，媽媽就可引導孩子自己清理鞋子。這些看似簡單的家庭衛生教育，卻是很多爸爸、媽媽會忽略的事。

其實，孩子本來就天真可愛，爸爸、媽媽若是能引導寶寶，從小培養衛生習慣，等寶寶長大後，肯定不會淪落成一個讓人受不了的「邋遢鬼」，因爲所有的規矩都已根深蒂固在成長的過程裡。

關於衣著的禮儀，有一點常爲人所忽略：衣著的適當性。如果沒有留意出席的場合、年紀與身分，穿了不適合的衣服，就算衣著再時尚，也會成爲笑柄。

西方國家重視個人的穿著，把穿著當成是一種禮貌。小朋友的經濟尚未獨立，也不可能自己上街採購衣服，大多時候，打理兒童服裝的任務，都是父母親代勞。小朋友的穿著品味，就是父母的穿著品味。但也因此，父母對孩子的穿著禮儀有絕對的影響。怎樣的場合穿怎樣的衣服？衣服要如何穿，才適合小朋友的年紀？都是父母親要學習關注的。

一般來說，孩子會參與的正式場合，包括：教會、婚禮、家族聚會、音樂會……等。這些場合，父母都是與孩子一同出席，也是兒童社交的開始。孩子參加正式活動時，一定要穿正式服裝。男孩子著西裝、打領帶、穿皮鞋；女孩子則以連身洋裝、皮鞋、長襪或短襪爲主。兄弟姐妹可穿相同款式、同一色調的衣服，更顯整齊可愛，頭髮，指甲也要配合清潔乾淨。

在休閒性的場合，如海邊、森林、烤肉、遊樂場、運動比賽等場所或地方，小朋友的服裝就以方便、舒適爲原則，小孩子活動量大，可以選擇兩件式的休閒服，或連身小牛仔褲等，在衣服的圖案上，以可愛的卡通人物、動物等爲主，再配上鮮豔亮麗的顏色，可讓孩子看起來更活潑。

小女孩受到電視的影響，對亮晶晶的飾品特別感興趣，總覺得明星身上的裝扮才是最美的。但是小小年紀，並不適合擦脂抹粉，穿金戴銀。

美國影星湯姆・克魯斯（Tom Cruise），每次帶女兒蘇莉（Suri）出門，都把她打扮得像個「時尚公主」，全身上下都是訂製的名牌服飾，腳蹬兒童高跟鞋，手拿兒童淑女小包；據媒體報導，蘇莉一天得換兩種造型，簡直是迷你版的小貴婦。其實，小朋友最大的本錢就是純真，服裝只要「乾淨、整齊、適合年紀、配合場所」即可；讓一個才四、五歲的小女孩，學著成年人的樣式打扮，不但失去原來的純真，在健康上來說，孩子蹬上高跟鞋，對於還沒長好的骨骼也很容易造成傷害。

其實，媽媽只要根據出席的場合，以及小朋友的年紀做適當的打扮即可。在國外，大多數的聚會，都會事先發邀請函給賓客，說明這是怎樣的聚會，也會載明應該穿著怎樣的服裝？能否攜帶小朋友……等。爸爸、媽媽可以根據邀請函的資訊，決定是否帶孩子出席，也可以從資訊中，知道自己和孩子應該穿著哪類型的服裝。

假如媽媽需要穿長禮服出席，可以帶孩子一起前往，表示女童也要穿正式服裝，如蓬蓬裙、蕾絲邊的襪子，配上包頭的皮鞋……等。爸爸需要穿燕尾服時，男童也需要穿小西裝和皮鞋。可以幫孩子打扮漂亮一點，但不要讓他們化妝，化妝容易傷害皮膚，除非小朋友有登臺表演的機會，爲求燈光的效果，否則不必讓孩子化妝。

「穿衣禮儀」應該因地制宜，工作的時候穿工作服，運動的時候穿運動服，睡覺的時候就應該穿睡衣。曾聽說，上海的女性朋友，很喜歡把美美的睡衣穿上街。睡衣再漂亮華麗，也只能在臥室穿，因爲那是私密的一部份，不應該展示在眾人面前。除

非是參加西方人喜愛的一種「睡衣趴」(Pajama Party)，不過那也是一些好朋友、姊妹淘，找個晚上穿上睡衣聚在一起，天南地北聊天，分享心事，是個分享秘密的聚會。在這種場合，每個人可以盡情的展示美美的睡衣，反倒不適合穿著外出的服裝參與。

總而言之，基於對人的尊重和出席怎樣的場合，決定該有怎樣的妝扮，是一種美學，也是一種禮貌。

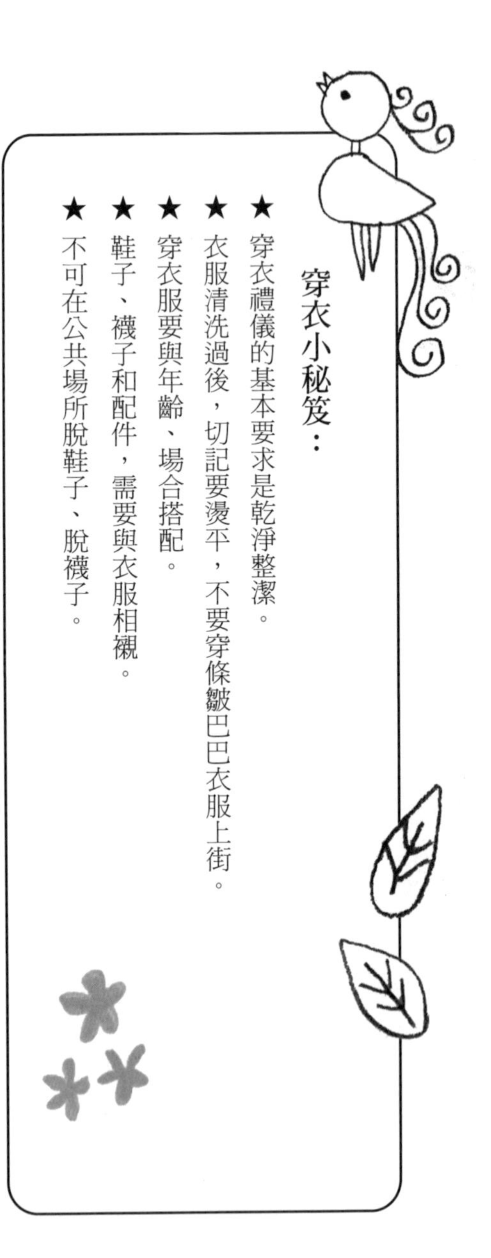

合宜的外表是給人第一眼印象的指標，決定了一個人對我們的最初印象，這樣的第一印象往往影響深遠，外在的裝扮在人際關係中，有著舉足輕重的位置。爸爸、媽媽們要隨時注意孩子穿著的整潔，養成他們在生活衛生上的好習慣。爲小朋友做最適合的穿著與打扮，絕對有助於孩子們長大後，成爲社會中受人尊敬的紳士或淑女。

三、父母的功課

請爸爸、媽媽找一個下午，花一兩小時時間，到購物中心或百貨公司，人潮多的地方。帶你的寶貝對路人偷偷做個「品頭論足」。讓孩子偷偷告訴你：哪個人穿著乾淨整齊？哪個人穿著邋遢？哪個人鞋子很乾淨？小朋友會在觀察當中，找到基本的穿衣哲學。

第十一課：住與行，公德的禮儀

「德不孤，必有鄰。」住與行每天生活中的一般事，品質與快樂須從「公德」做起！

一、與鄰為美，從公德心做起！

「家」是私人的空間，但在寸土寸金的都市裡，大多數人都住在公寓或大樓住宅，居家附近都有住戶。爲了鄰里間的生活品質，每個人都有責任維護住家周圍的環境。這裡所指的「品質」，包括眼睛看的，耳朵聽的，鼻子聞的，整整齊齊、乾乾淨淨，不被妨礙。當有人不遵守這樣的原則，隨意製造髒亂，吵鬧打擾鄰居，不尊重別人，損人利己，就會成爲別人眼裡的「惡鄰」。一個鄰居眼中的「惡鄰」，再怎麼表現出紳士與淑女的風度，也不會得到別人的認同。

有些惡鄰由於素養不足，只爲了自己需求和感受，不顧慮是否影響他人，有時在夜深準備入寢的時間，忘情的舉行 party、唱卡拉 ok、甚至半夜時，「嘩啦嘩啦」麻將洗牌的聲音不斷……。自宅的空間雖是每個人認爲可以爲所欲爲的私人空間，但是發出聲響影響別人都算是侵犯他人。

小朋友大多喜歡活動，客廳經常會變成他們的運動場或公園，有時候拍球，有時候跑步，這些聲音常常會傳到樓下，影響樓下住戶的安寧。大人應該隨時制止孩子這樣的舉動，並告訴孩子：「客廳不是公園，不可以在客廳拍球、跑步，這樣會吵到樓下的阿姨喔！想打球的話，這星期六，我們找小凡去公園玩球好嗎？」

家裡的座椅也很容易發出聲音。小朋友寫功課或吃飯時，經常會挪動椅子。他們坐著椅子，往前拉又往後退，會製造「拐、拐……」的摩擦聲，讓樓下的鄰居聽起來很不舒服。爸爸媽媽可以教孩子將椅子輕輕搬離地面再挪動它。若小孩搬不動一般的椅子，家長不妨爲孩子準備一組孩童的書桌椅，一方面可讓孩子學會自己輕輕的搬動桌椅，也可以調整孩子的坐姿。

孩子們如果喜歡找同伴到家裡玩，家長一定要提醒他們：不要喧嘩。此外，聚會結束時，可以請孩子們一起把家裡垃圾清理乾淨，並且讓他們包好，丟到垃圾桶。小朋友可以在這樣的互動中，學到居家整潔的重要。

大樓的電梯間、公寓的樓梯間，都屬於公共的財產。鞋櫃擺滿樓梯間，有些鞋子甚至沒放進鞋櫃裡，散亂一地，路過的人，隨時都可能被絆倒，凌亂不打緊，還會發出陣陣鞋子的臭味。我們應該把鞋櫃放進家裡的入門處，並且每天回家時，記得把脫下來的鞋子放進鞋櫃中，才不會影響其他住戶。有些人還把樓梯間當作儲藏室，把逃生口完全堵住，危害其它住戶的安全。這些行爲都可被冠上「惡鄰」的稱號。請別讓自己成爲別人眼裡那個討厭鬼。

二、出外靠朋友，外宿守分際

俗語說「出外靠朋友」，人在外面不可避免會借宿朋友家，或者受邀被留宿的經驗。住在別人家，無論交情多深厚，有些借宿的禮儀得注意，以免有損紳士、淑女的教養。

住在別人家時，請不要太過「賓至如歸」，把別人家當自己家使用。朋友家有他們的生活習慣，做客的人就必須自重，別破壞朋友家的生活習慣。如果朋友家習慣早睡，我們卻睡不著時，也應該自重，不可以自行在屋內走動發出聲響，打擾朋友的安寧。

千萬注意，再要好的朋友或有血緣的關係的兄弟姐妹，他們家都不是我們自己家，借宿別人家裡已經給人添麻煩了，更需要注意借宿禮儀，盡力做個受歡迎的客人。除了配合主人家的生活步調，不要造成別人的困擾外，自己的客房要自己打掃，未經許可不要隨便進入其他房間，尤其不要任意翻閱他人的信件書刊。想吃什麼跟主人說，不要擅自開冰箱拿取，即使主人說：「愛吃什麼自己儘量拿，不要見外。」也不宜照做。

到朋友家借住，爲了表示交情很好、很自在，所以什麼東西都說知道放在哪，不麻煩朋友就自動拿取，一切自助……。這種人其實很不受歡迎，因爲把朋友家的隱私都看光了。也許有人會認爲：「主人是我的朋友及親戚，他才不會計較讓我分享東西」，但重點不是東西被吃喝，或是分享了甚麼東西，重點是主人如何看待你隨性的行爲和態度，也許就因此讓人以爲你很隨便。

如果白天外出，記得要跟主人打聲招呼，且不要擅自帶其他人到主人家；建議不要久住。離開時，除了道謝和再見外，記得把自己房間清乾淨，不要留一堆垃圾等著主人清理。離開後，還要打電話表示謝意，寫封信或寄張卡片給主人，否則主人會覺得很無情，下次就不歡迎你了。

關於「住」的禮儀，不僅僅只是在住家環境的維護，隨著旅遊的便利性，出遊的機會增加，投宿旅館也必須留心「住」的規範，免得造成別人的困擾，甚至貽笑國際。

還記得有一年我在南加州的聖地牙哥，投宿一家著名的連鎖汽車旅館。當晚洗完澡後，正準備上床休息，走廊上傳來「乒乒蹦蹦」的吵鬧聲，吵得我無法入眠；一探之下，才知道是一群放春假的學生，相約出來旅行。隔著門，我一會兒聽到嬉鬧聲夾雜著爬樓梯的聲響，一會兒傳來一陣陣濃濃的煙味。深夜十二點多了，這群孩子似乎沒有要休息的跡象。我所入住的是「非吸菸區」，他們卻無視規定，偏要抽菸，製造空氣汙染；吵鬧聲和煙味嚷我無法入眠，我實在忍無可忍，只好撥個電話到櫃台抗議。雖然，旅館馬上和學生們溝通勸導，並且，把那個晚上的住宿費全數退還給我；但是，那群孩子脫序的行爲，讓我失眠了一個晚上。

投宿飯店雖然只是短暫停留，但也應該要遵守禮儀規範，因爲每個旅客都是花錢來住宿的，每個人都有規畫好的行程，不能爲了自己的娛樂，干擾或吵鬧到別人。因此，入住飯店休息、消費或和客人會面時，務必顧慮到他人的安寧，並且請輕聲走路，不要大聲喧譁或高談闊論。即便待在自己的客房裡，關上了房門，也儘量不要製造太大的聲響，避免讓活動的聲音傳送出去，影響到其他的房客。

任何等級的旅館都有客房服務，工作人員爲旅客清理及準備舒適的房間、茶飲、點心或浴室備品……，對於這些辛苦的服務人員，我們應該要友善以對，千萬別以爲你付了錢，就是可以頤指氣使的大爺；更別爲了圖自己的方便，故意折磨工作人員。

以前曾聽一個朋友談起他的表哥，每當去香港住宿、爲了讓服務員每天換新的毛巾和浴巾，竟然把用過、沒用過的全都丟在浴室的地上，還洋洋得意的誇口，說：「我把毛巾丟在浴室的地上，他們還能不換新的給我嗎？」他認爲這麼做，服務員一定會記得要換新的了。這種行爲真是誇張，他要新的毛巾，去跟櫃台反應幫忙每天換新的，不就好了嗎？有禮貌地提出需求，不一定要用糟蹋別人的方法才能達成。

飯店確實會爲了環保，除非必要才會更換毛巾，通常是三天換一次新毛巾、浴巾；如果事先告知櫃台需要天天換新，他們還是會幫顧客依需求更換。全球都在倡議環保，如果可以從小地方做起，也請儘量響應配合；就算不願意，也不需要連沒有用過的毛巾都一起丟在地上。

在飯店投宿的客人，通常會在離開房門時留下小費；即使投宿多日，也會每天留下小費在房裡。這是對服務人員的感謝，而不是「施捨」。小費並沒有金額限制，一般而言，歐美國家大多一天一、二元美金；但是若覺得服務員的工作態度非常好，想要特別感謝，多一些也無妨。但是無論小費多寡，盡量不要放銅板當小費，那會給人「不被尊重」的感覺。

前一陣子，在台灣的新聞上，看到兩位來自香港的年輕女孩，在台灣旅遊的期間，每入住一間酒店，就把那個酒店弄得髒兮兮，不但桌子上堆滿吃剩的食物、菸蒂塞滿馬桶，還在牆上亂塗鴉，每間酒店都害怕接到這兩位「貴客」。消息經媒體批露後，大家都稱他們爲「惡搞二人組」，香港的朋友甚至將她們視爲「香港之恥」。日前這兩位女生已經被以「毀損罪」被逮捕了，酒店也會依法對兩人要求賠償。但是，看看這兩位長相清秀、穿著光鮮又時髦的年輕女孩，就因爲任性妄爲的行爲，不但使自己難堪，也讓香港同胞不齒，實在爲她們感到惋惜。

現在飯店客房的浴室，大多已採用乾濕分離的設備，在廁所空間裡另外設有拉門的淋浴間；但是歐美還是有一些歷史比較悠久的飯店，房客淋浴仍是得在浴缸裡。如果入住這類飯店，就要記得在淋浴時把浴簾拉上，將浴簾的下擺放在浴缸內，以防濺濕地板，千萬不可在浴缸外沖洗，弄得整間溼答答的，對歷史建築造成破壞；浴畢後，也應拉開浴缸，將塞子拔起排水，讓浴室恢復清爽。

曾有一個朋友跟我轉述她在倫敦飯店的經歷：一九九四年，她第一次獨自到英國自助旅行，入住在倫敦一家非常古老的飯店裡。第一天晚上，就有飯店經裡氣沖沖的跑來跟她說：「妳能幫忙充當一下翻譯嗎？我需要跟隔壁房的老先生溝通一下。」於是她就跟著經理到隔壁間，看看到底發生什麼事了。

原來這位老先生是跟著台灣旅行團來英國觀光，那天晚上，他依著台灣的淋浴習慣，站在浴缸外洗澡，他並不知道在英國洗澡需要在浴缸裡，不能站在外面。因爲這是間歷史悠久的老飯店，浴室排水系統比較差，地板又薄，導致老先生的洗澡水從浴室的地板，滲透到樓下的客房，樓下的房客正在抱怨天花板漏水，地毯濕透了。

飯店經理氣呼呼的要求這位老先生得要賠償所有的損失，但老先生說他不知道這個規矩，也沒人告訴過他，他也不懂英文。但經理理直氣壯的指著浴缸旁的告示牌說：「這裡有中英文翻譯啊！」我的朋友連忙告訴經理：「對不起，這是日文不是中文，我們不是日本人。」這件事最後請導遊出來解決，聽說旅行社還是賠了一些錢了事。從這件事情可以發現，這是中西文化習慣不同造成的誤解，因此如果是在國外投宿，務必要弄清楚當地的文化習慣。

我們在各地旅行，都是短暫的過客，雖然住宿飯店的時間很短，但要是把客房弄得髒亂不堪，對服務生頤指氣使，把房間的彩印畫作拿走當紀念品，那臭名就要永遠留在這個飯店裡了。

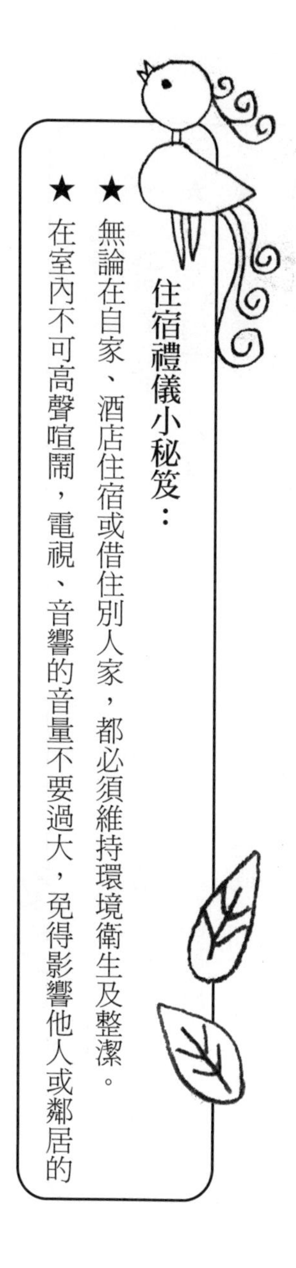

住宿禮儀小秘笈：

★無論在自家、酒店住宿或借住別人家，都必須維持環境衛生及整潔。

★在室內不可高聲喧鬧，電視、音響的音量不要過大，免得影響他人或鄰居的安寧。

★平時對同行的家人、友人，隔壁客房鄰居也要注重禮儀，相互問好、請安。

★公共設施要共同維護，鄰居之間保持良好關係，做好守望相助。

★不偷窺鄰居或其他旅館住宿客人的行動，也不可偷聽他們的談話。

★養成愛惜資源的習慣，隨手關燈，並節約用水。

三、「排隊」，行的禮儀

小朋友上幼兒園後，需要自己搭「娃娃車」上學，也開始脫離爸媽的牽引，自己在外行動。所以，大人們要開始教小朋友一些「行」的禮儀。

搭乘「娃娃車」或大眾交通工具，最重要的就是「排隊」上車。

年輕時，我就讀台北陽明山華岡的文化大學，印象最深刻的是，每天早上從台北車站搭乘「華岡車」上山的景象。由於車程需要半個多小時，同學們都希望有位子坐，加上一些趕上第一堂課的同學，人人都希望能趕快搶搭上車。只見車子一來，本來排

從小教會孩子在「行」的方面守秩序、多禮讓，長大後才能成為讓人敬重的「紳士」、「淑女」

好的隊伍立刻大亂，擠上車已經不稀奇，爬上車窗的才算「勇猛」；像我們這種手無縛雞之力的女生，就只能眼巴巴的望著一班班車子開走；即便莫名其妙被擠上車，也是早已狼狽不堪。現在回想起來，我那些同學們還真不文明！

二〇〇三年，我從美國回台灣，當時讓我最爲「驚豔」的，就是民眾搭乘捷運的秩序。從進入捷運站入口開始，就看到每個人魚貫搭乘手扶梯進月台，不僅如此，大家還都知道要站在手扶梯右邊，把左邊讓出來給趕時間乘車的朋友。到了月台，還是排隊。車子進站了，也不見推擠，等車上民眾下車後，才上車。

有一回，我美國一位大哥回台灣，和朋友一起搭捷運，兩人聊著聊著，就並排站在扶梯上，擋住了從後面趕時間搭車的人。突然，站在右後方的一個大約小學五、六年級的小朋友，拍拍我這位大哥的肩膀說：「叔叔，你不可以站在左邊，那是給趕時間的人走的。」大哥說：「快羞死了，讓一個孩子來教我。」但是，這不都是文明有禮的體現嗎？

小朋友從小就懂得敬老尊賢，並且主動幫助行動不方便的孕婦或老人。很多公共交通工具都有爲長者及行動不方便的人備有專屬的「博愛座」，一般人盡量別去佔座。有時候「博愛座」不敷使用時，看到有需要的乘客上車，就算位子不是「博愛座」，也應該要讓座。

有一次，我在公車上看到非常感人的一幕：一位約莫八十多歲的老太太，推著一個掛有輪子的購物車，準備搭上公車。購物車很重，老太太自己走路都東倒西歪了，怎有力氣提上車呢？幸好，一位也要上車的女士，上前幫她將購物車提上去，並且扶著老太太上車後，自己才上。老太太在車上，沒座位可坐，一位帶著幼兒園孩子的先生，立刻抱著孩子站起來，讓座給她，車上的乘客有的忙著扶住老太太，免得她跌倒；有的幫老太太提東西，許多人都充分發揮他們的愛心。這真是一個「好」禮的社會，令人動容。

從小教會孩子在「行」的方面守秩序、多禮讓，長大後才能成為讓人敬重的「紳士」、「淑女」，也能讓社會更和諧、更有愛。

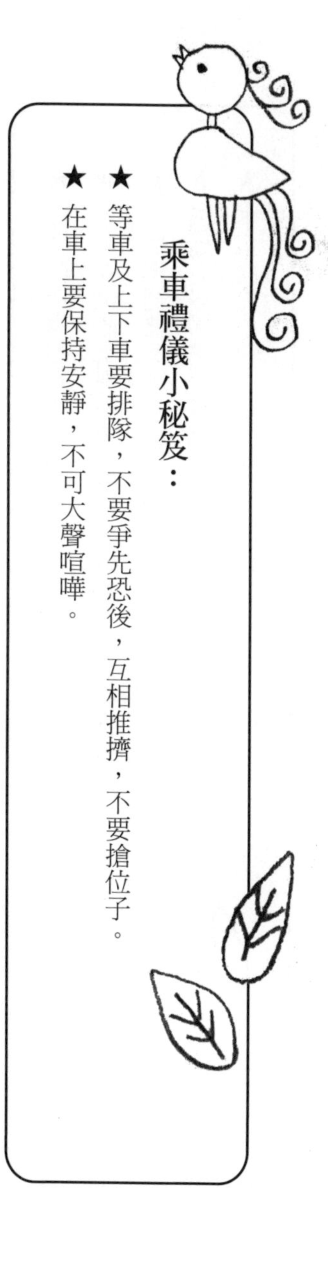

乘車禮儀小秘笈：

★ 等車及上下車要排隊，不要爭先恐後，互相推擠，不要搶位子。

★ 在車上要保持安靜，不可大聲喧嘩。

★爲了保持車內整潔，盡量避免在車上飲食。

★不可在位置上斜躺或倒臥，有礙觀瞻又妨礙他人。

★不要與司機交談，以免影響開車安全。

★遇到老弱婦孺要讓位。

★下車前先拉鈴，以免慌慌張張影響乘客。

貼心的叮嚀

住宿、乘車是每個人每天要做的事，也是每個人禮儀的展現。一個守法、成熟、好禮，又有愛心、公德心的人，才是被人敬重的「紳士」、「淑女」。孩子小的時候，爸爸媽媽必須把握每個教育孩子的機會，規範孩子的行爲。在家要注意居家整潔；出門借住朋友家不可「太隨便」；乘車時，記得要有秩序、有愛心。才能讓他們長大後成爲受人敬重的紳士、淑女。

父母的功課

爸爸媽媽可以爲小朋友準備一本貼紙簿。當孩子每做好一項好行爲時，可以給小朋友一個貼紙，貼在貼紙簿；若小朋友做了一項壞行爲，爸爸媽媽要撕下一張小朋友的貼紙，當孩子集到十個貼紙時，可以讓小朋友向爸媽兌換一份獎品。但請一定要賞罰分明。

第十二課：胸懷天下，培養國際觀

世界是個地球村，在國際化的時代，孩子，必須高視闊步，胸懷天下，挑戰未來人生，而國際視野和國際觀，須從小事做起……。

一、尊重不同文化，成為地球村民

地球是平的，在全球化已是一個事實的年代，個人的生存與競爭無法自外於國際，對國際事務有宏觀且深切的認知，是個人在人與人之間，和國與國之間必須具備的一種知識，有了對國際宏觀的認知，知道自己在相對環境中的位置，建立正確的態度，在開放和多元的社會中，接受與不同文化、不同國籍的人共同合作，個人得到更好的發展。

出境
eparture

國際觀的學習從那裡開始？英國教育家奈特和狄威(Knight and De Wit 1997)說：「國際化的實現是一個透過教育機構中的教學、研究和服務，將世界上各種重要的國際議題和資訊整合的過程。」，所以教育的交流是一項重點。而教育的方式，卻不限定只在學校而已，父母家長應把握任何機會，尤其可以從文化中的小事開始了解。

例如，以文化差異來說，西方人非常重視「隱私」，有關私人的事，他們是不喜歡被探問的，這種習慣和樂於分享、守望相助的華人文化有極大的不同。然而，哪些算是他們的「隱私」呢？年齡、薪水、身體上的缺陷、婚姻的狀況、家庭的情況……等涉及個人私領域的部份，都稱爲「隱私」，每個人都有權利對此嚴加保護。

華人世界，經常爲了表現出對人的關心和熱絡，一見面就問很多別人的私事，面對好久不見的友人，就像是記者般問話：「Cherry呀！好久不見了，要來這裡玩幾天？咦！我忘記妳今年幾歲了？好像三十好幾了吧？現在有對象了嗎？上次跟你一起來的那個男生，是妳的男朋友還是老公啊？」如果妳是Cherry，一連串的個人隱私問題，恐怕是既尷尬又無奈，不知該怎麼回答，只能愣在那裡乾笑；要是西方人聽到這些提問，可能當場就變臉了：「我幾歲、結不結婚……，關你什麼事呢？你熱心過頭了吧！」

又如：「記得你在對街的英文補習班教英文，是吧？我有一個鄰居小孩也在你們那裡補英文。」「你在那裡教學多久了？薪水待遇好不好啊？你是算月薪還是時薪？

老闆一小時給你多少工資？你的工作容不容易賺到錢啊？」，聽完這些問話，心裡一定嘀咕著：「你是誰啊？我賺多少錢有需要跟你報告嗎？閒事也管太多了吧！」

還有下面這種狀況，也是頗為令人尷尬：

「你是David的表弟Mark嗎？今天怎麼有空在這裡逛街？我記得……你不是已經大學畢業了嗎？怎麼還沒去當兵呢？」

聽到這種句句涉人隱私、連珠炮式的詢問，Mark回答：「謝謝劉阿姨的關心，我……我是因為身體有點狀況，所以不用當兵。」

劉阿姨繼續問：「有狀況？有什麼狀況？我看你平常生龍活虎，會有什麼狀況？你到底是有什麼毛病不能當兵啊？」

Mark支支吾吾的說：「是……氣胸。」

劉阿姨繼續追根究底：「氣胸是什麼？有氣胸就不能當兵嗎？」

Mark越講越小聲：「氣胸就是胸膜腔有氣體。得到這種病，不能跑步；部隊不需要不能跑步的人，所以……。」

劉阿姨一臉驚訝：「啊！不能跑步？但是你外表看起來不像有什麼毛病呀，怎麼會不能跑步呢？」

對於Mark西方文化式的尷尬，東方的劉阿姨可能無法查覺問題出在那裡？注重隱私的西方人認爲，「這些都是我的秘密，爲什麼要告訴你？」他們覺得每個人都可以選擇對自己喜歡的人敞開心門，要不要分享，由自己決定，所以並不喜歡別人主動來探問。因此，我們應該要學習尊重不同文化和習慣的人，避免讓別人感到不舒服。雖然孩子的年齡小，還不太懂得國外的文化，但父母如果有這樣的涵養，孩子在耳濡目染下，知道表示關心的分寸在哪、哪些問題不應隨便問。「人必自重而後人重之」，別以爲這只是生活中的小事，事情都從小事開始的，尊重不同文化和習慣的人，不僅是自重，也會因此獲得更多的敬重和友誼。

二、旅行，改變看世界的眼睛

隨著中國經濟日漸強大，出國旅遊人數的增加，對基本出國禮儀的需求也日益上升。根據聯合國世界旅遊組織的數據，二〇〇〇年的中國出境旅遊的人數爲一千萬，到二〇一二年爲止已增到八千三百萬，現在當然遠遠超過這個數字了。

十五世紀海權時代開始，歐洲列強葡萄牙，西班牙，英國，法國等等不斷向外擴張，雖然他們「出國觀光」的目的是積極開發國家的生存空間，掌控世界經濟資源分

新時代的國際觀須
以禮儀為基礎，
以和平為方法，
以拓展國際競爭力為目的，
然而有禮儀地出國旅遊，
是將視野推向國際的開始。

配，但本質上和今天國人擁有國際觀的目的性和重要性是一致的，只是手段已不是搶奪或戰爭而已，新時代的國際觀須以禮儀爲基礎，以和平爲方法，以拓展國際競爭力爲目的，然而有禮儀地出國旅遊，是將視野推向國際的開始。

拜經濟成長之賜，中國富起來了，人們的口袋非常飽滿，出國旅遊已經不是遙不可及的夢想。一團團的中國觀光團彷佛成爲各國政府、民間挽救頹廢經濟的救星。中國觀光客的消費力驚人，走到哪裡都被奉爲上賓。爲了讓這群嬌客更容易掏錢出來，國外很多知名的遊覽勝地、名牌購物商店都設有中文招待、中文翻譯等，讓他們不會因語言隔閡，影響了消費興致。這是外國人眼裡的中國觀光客。然而，當我們被奉爲上賓時，代表的不是只有自己的財富與身份而已，還包括我們的國家尊嚴。

去年十二月，我和家人到美國處理一些事情。回去之前，在台灣的電視新聞中，看到一則報導。報導中指出，由於中國赴美觀光客的人數年年遽增，帶來數不盡的「錢潮」。紐約的名牌精品專賣店，都雇用了會說中文的店員來招呼中國客人。看見報導時，我半信半疑。心想，過去我住南加州時，各地華人那麼多，在主流的購物中心，並沒有會說中文的店員，怎麼可能兩、三年的時間全變了？

但這回到美國，我真的見識到了。那幾天和朋友約在南加州最高級的購物中心之一South Coast Plaza。購物中心內，各國名牌精品店林立，只要叫得出名號的「名牌」，都在裡面設了專賣店。South Coast Plaza 非常大，我和朋友約在LV專賣店的外面。當搭乘電梯上了購物中心二樓時，眼前的景象真教我難以置信。著名的LV專賣店裡，擠滿了講中國話的觀光客。一、二分鐘就走出來一個拎著大包小包「戰利品」的中國人，好像那是一家平價商店似的。我們當然不能進去囉！口袋不夠深，又小氣的我們，還是別去湊熱鬧吧！接著，朋友拖著我走到隔壁人比較少的卡地亞 Cartier 專門店。才走進門，馬上有外國接待員迎上來用中文說：「我可以爲您介紹什麼嗎？」我和朋友互相對看一眼，心照不宣，接著我用英語回說：「不用了，謝謝。」拉了朋友就往外走，因我瞄到店裡滿是中國觀光客，我們可能也被認爲是同一群人，店員的眼光讓我倆倍感不舒服，於是快步離開了。

這和早期台灣經濟起飛時的狀況一模一樣。台灣剛開放觀光時，一團團的觀光客到各國旅遊。不懂得用心參訪名勝古蹟，最愛的就是購物。甚麼東西都愛，甚麼東西都買。皮箱裡，一定要擠滿「戰利品」才肯打道回府。當時他們也佔據名牌店，瘋狂的購物；行爲舉止也讓當地人嚇壞了。那時候，我們出國最怕老外問：「你們從哪裡來呀？」恨不得說自己是「日本人」，或「韓國人」，因爲人家那種輕視的目光，心裡恨不得在想，不管說自己是誰都行，就是怕說從台灣來的。但是隨著台灣出國的人數越來越多，大家開始感受到出國觀光，觀光客的素質像國家的門面一般，行爲舉止

出國觀光的主要目的，是了解國際間人與人之間相互依存關係，並了解該國經濟、社會各種議題的了解，可以增長見聞。

都要注意，才不會有損國家形象。現今大部分的台灣觀光客，已經慢慢擺脫「採購團」的形象了。

出國觀光的主要目的，是了解國際間人與人之間相互依存關係，並了解該國經濟、社會各種議題的了解，可以增長見聞，而買自己喜歡的東西雖是人之常情，但要特別留意自己的行爲。

在國外觀光客代表的不完全只有自己，還有國家的形象。以出國觀光買名牌商品這件事來說，爲什麼正當的消費，會給當地人不好的觀感？雖然有錢，出手闊綽令人羨慕，但若是表現出來的態度只是炫富，像個沒文化的「土豪」，自我感覺良好地以一種自以爲有錢是大爺的心態來消費，殊不知在一個成熟的消費市場裡，購買者和銷售者同樣地平等，並沒有因爲花錢消費就比銷售者人格高一點，因爲一方獲得所需，另一方提供了服務，大家的立足點其實是平等的。消費者購買一件或一百件，都只是一個購買行爲，並不是多了不起的事，只因爲有錢消費就表現出高人一等的氣燄，不顧一切，拼命搶買名牌貨，一箱一箱的往外搬，這也只是另一種炫富而已。

出國觀光卻大陣仗的搬家，有如上演「民族大遷移」的戲碼，這樣的行爲不但引起旁人的側目，甚至傳爲茶餘飯後的笑柄，那實在是得不償失。其實，現在資訊發達，交通也方便，幾乎所有世界各大名牌，在國內都能買得到，能買到的東西就儘量在國內買，出國觀光的主要目的是增長見識，或休閒旅遊。一出國就像在大搬家，只是增加勞累，徒損旅遊品質而已。

小朋友雖然沒有購買能力，也不會自己逛街。但如果每次跟著爸爸媽媽出國，看到的就是一群買精品像是「上菜場買菜」的景象，難免上行下效，影響孩子的價值觀，那麼爸爸媽媽花錢帶他們出國看世界，不是增長見聞，反倒是對孩子負面的教育。

旅遊是一種「心情」，旅行的真正目的不是爲了去「看」一個地點，而是透過旅行的過程，「感受及改變」看待事物的方法。當父母有機會帶孩子到海外旅行觀光，這算是某種教育。孩子的人生經驗，直接影響他的談吐、思考及創造力，儘可能帶他們出去做有意義的旅遊，體驗異國不同的文化，在所見所聞中，擴展人生的經驗，累積一輩子珍貴的記憶，千萬別把時間浪費在採買東西上。

「讀萬卷書，不如行萬里路」把世界當成一本活生生的百科全書，在孩子可塑性、好奇心、學習力最高的時候，父母帶著他們一起閱讀世界。雖然現在資訊很發達，你可以從網路得到很多關於世界著名景點古蹟的說明，但親身到達現場，親眼見識，親手觸摸，那種過程，那種感受絕對是不一樣的，讓孩子從小體會這種感受，培養世界觀，人生路上的發展必定因視野不同，而有所不同。

三、深度旅行，認識文化差異

旅行是體驗不同風俗習慣、文化傳統及宗教信仰最好的方式。藉著旅遊，我們可以親眼看到世界的美景，可以親身體驗各種不同的種族文化。家長如果帶著孩子深度旅遊，一定能開拓孩子的視野。如果經費和時間沒問題，建議爸爸媽媽採自助旅行方式，在某一國家，花上幾週的時間，實際體驗當地的生活民情和文化，會比跟著走馬看花似的旅行團來的更有收穫。

一九八七至一九九一年間，我們住在美國華盛頓。當時女兒才小學一、二年級。每次爸爸有連續假期，我們就會全家出遊。通常，在選好旅遊的地點後，會先到書店找一些旅遊資訊（當時電腦還不普及），先把我們要造訪的地點，包括沿途經過的幾個地方，它們的歷史文化及特色，做一番了解。出門前，爲女兒和爸爸各準備一份地圖。爸爸的地圖是開車用的，女兒的地圖則是學習用。從出了家門開始，女兒就可以跟著我們找尋地圖上的地點，也知道我們是往北走還是往南走。中午停留午餐的地方，如果是有特色的城市，它的特色在哪裡?我們也會停下腳步，暫時駐足瀏覽一下。記得有一回，我們停在賓夕法尼亞州的威廉波特。那是美國少棒聯盟，每年八月舉辦世界少棒賽的城市。那些年，台灣的少棒在世界比賽中，屢屢創下佳績。台灣每個人都知道美國有一個威廉波特。我們在那個城市的麥當勞吃中飯，連麥當勞的裝潢都是棒球和球棒所組合成的。偷了一點時間，我們帶孩子參觀棒球博物館，當地的人，知道我們來自台灣，倍感親切，不只跟我們有許多交談，還豎起大拇指。女兒看到寫著TAIWAN的球衣時，興奮的不得了，也因爲此行，了解台灣和威廉波特的關係。

女兒高中時，我特地帶她到日本東京去找那些年最夯的漫畫。在台灣時，我就已經向旅行社訂了酒店，訂了接送飛機的車子。女兒也從同學得知了一個漫畫店的地址。當下以爲已經準備周全了。我們到達東京，住進酒店後，女兒就急急忙忙向櫃台要了一張當地的地圖和一張地鐵網路圖。看見女兒事先抄下的漫畫店地址，是在「東池袋」，而我們住的酒店在「池袋」。又看了地鐵圖：「哦！原來東池袋在池袋的前一站而已！」太完美了。心想，只要一站地鐵就可到達，沒啥了不起的。

第二天一早，在吃完早餐後，就急著下樓搭地鐵。穿過熱鬧得不得了的地下街，終於抵達地鐵站。日本人在指示標語上用了不少漢字是難不倒我們的。當地鐵到了東池袋站，母女倆跟著人群也出了站。這時問題來了，怎麼日本的商家門前都看不到綠色的門牌，到底該往哪裡走？沒關係，老人家都說：「路在嘴巴上」就問路吧！日語不會，但英文是世界語言呀！於是，我們僅靠著那張事前記下地址的便條逢人就以英文問路。奇怪的是，每個路人聽到英文好像都嚇死了，拼命跟我們搖手。大約問了十個人左右，終於有一個年輕人，指著前面方向，跟我說：「波力士 (Police)」。我想他是告訴我警察局在那邊，我們可以去問。順著年輕人指的方向找到警察局。雖然警察的英文也不太靈光，但是看著他桌上的地圖，我們終於找到漫畫店。這雖是個有趣的經驗，但是女兒卻見識到日本人普遍的英文功力，也了解英文並非真正的「世界語言」，很多地方還是行不通的。那次的「探險之旅」，有許多特殊的經驗，不是參加一般旅行團可以感受得到。又因爲三、四天的旅行，女兒和我必須相依爲命，同心協力。我們母女有如培養了另一種緊密的「革命情感」。更加深我們的親子關係。

我喜歡自助旅遊，通常到一個地方，我會先找博物館，了解當地的歷史文化。如果一時找不到博物館，我會先去拜訪當地比較古老的區域，因爲那是孕育那個地方的根本。

一九九九年，我第一次真正造訪洛杉磯。抵達後第二天，我就自己開車進洛杉磯市。市區有座古城，那是洛杉磯的發源地。現在被州政府設立爲歷史公園。這四十四英畝的州立公園裡，有二十七棟具有歷史意義的建築，像是洛杉磯最早的教堂、消防局、Masonic Hall、色波佛達住屋、電影院、旅客服務中心、阿維拉泥磚屋 (Avilla Adobe)、歐維拉街和墨西哥市場等，洋溢著濃郁的異國風情。我從這樣的參觀中，了解洛杉磯的由來和發展過程。

另外，我們既然是炎黃子孫，每到世界各地，我也會造訪「中國城」。在中國城裡，我們可以看到先人移民的足跡。由於早年交通不便，移民到別的國家的中國人，要回國一趟實在不容易，通常移民了，幾乎就準備在當地終老。所以，在各地的中國城，還可以看到很古老的文物。這些早年移民到世界各地的中國人，他們既不像真正的當地人，也不像原來在中國的中國人。經過時間的淬鍊，他們也形成了另一種新的文化。

各個國家、各個民族、各個地方，都有不同的食物偏好，也有不同的食物禁忌。在造訪那個國家之前，如果能多一些了解，可以避免一些誤會和困擾。很多西方人都覺得，吃青蛙太恐怖，但對中國人與法國人來說，這道料理可真是人間極品呀！

三年前美國有線電視新聞網（CNN）曾選出全球最噁心的食物，在他們的眼中多種亞洲食物都是噁心的，中國人最喜歡吃的「皮蛋」，得到最噁心之冠，這件事情在華人圈引起很大的反彈；其餘的還包括韓國的狗肉、菲律賓的樹蟲等等，新浪微博因此也選出西方最噁心的食物，榮登之冠的是「臭奶酪」。因爲彼此飲食偏好不同，卻造成偏見與對立，真是又好笑、又無聊。但卻可以看出，彼此要了解，「飲食文化」也是重要的一環。

回教和猶太教認爲豬肉很「髒」，所以不能吃它，回教徒寧可餓肚子也不吃豬肉，不穿戴任何豬皮製品。如果你要到中東旅遊，要有吃不到豬肉的準備。在當地，即使在中國餐館也不准使用豬肉，包括熱狗、火腿等豬肉加工的食品都不准供應。所以如果受不了餐桌上沒有豬肉的食物，奉勸不要到中東，免得自己受罪。

印度文化裡「乾不乾淨」的觀念，也表現在日用飲食中。寧可用香蕉樹的葉子來代替盤子，也不想用「不知誰用過的器具」。到目前為止，印度南部還是用香蕉葉，而斯里蘭卡則是用芭蕉葉盛裝東西吃。這樣的飲食文化，在一般的文明國家大概很難接受，除非是真有勇氣去體驗它，否則，還是乖乖地到當地比較具規模的餐廳用餐吧！至少，還可用盤子吃飯。

民族與民族間的差異，還不只是食物而已，假若你對那個民族的常識不足，以錯誤的肢體語言傳達，會引發反彈與誤會。比如華人看到小孩會摸摸對方的頭說：「好乖，好可愛」但這個摸小孩頭的舉動，在回教國家是被禁止的。穆斯林認為頭部是一個神聖的部位，摸別人的頭非常「不像話」。所以，在不明瞭當地的文化前，還是不要隨便觸摸小孩子。

「握手」似乎已成為全世界共通的打招呼的肢體語言。握手打招呼時，在歐美及很多國家都認為，應該看著對方與對方眼光交會；但在東亞及非洲等少數地區，會把鞠躬、低頭打招呼視為美德。日本人會利用鞠躬的時機和角度，來表示不同深淺的謝意；但很多外國人對這個動作卻感到很困擾。

跟美國人握手時，臉上要堆滿笑容，堅定地注視對方的眼睛，再用力握住對方的手，如果與對方握手不帶力氣，會讓人感覺不熱絡。但英國與法國人就不同了，他們覺得握手原本就要表達自己沒有敵意，所以不會主動用力緊握對方的手，這是不一樣的地方。

西方人喜歡彼此擁抱，來表示歡迎。但在東方文化中，若這個擁抱是一男一女的擁抱，有的時候就會被別人用「有顏色」的眼光注視。

在英語系的國家，遇到朋友打噴嚏，現場的人就會說：「God Bless you.」（願上帝保佑你），這時要回答「謝謝」，表示禮貌。不過有些國家還是認爲打噴嚏是不禮貌的行爲，所以，若不小心打了噴嚏，最好趕快說聲：「Excuse me」（抱歉），比較妥當的。

其實文化並無好壞之分，只是了解他國人民如何思考？如何表達意思？以便到國外旅行時減少誤會的發生。

現在的網路非常發達，所有資訊都可藉由網路世界取得。建議爸爸媽媽們，在決定帶孩子出國旅遊時，就可以給孩子事前的功課。讓孩子在網路上搜尋旅途中要造訪的景點，請孩子將它的歷史背景、照片、人文資訊、生活習慣和特色找出來，並且解說給爸爸媽媽聽。孩子到了當地，一定會有更深的印象和體驗。

深度的自助旅行，可以帶入學習歷史、文化、人文和地理上的知識，更能了解當地的風土民情，如果孩子已經可以完全獨立，可以選擇參加國外的青少年夏令營。很多國外的青少年夏令營，都是和當地的孩子一起生活，一起學習，一起帶孩子們去旅遊。有時候，短短幾周的課程，能深入了解、體驗當地風土民情，那樣建立的國際視野能更正確外，也結交了許多國際友人。

如果孩子已經可以完全獨立，可以選擇參加國外的青少年夏令營。很多國外的青少年夏令營，都是和當地的孩子一起生活，一起學習，一起帶孩子們去旅遊。

親子旅遊小秘笈：

★爸爸媽媽決定帶孩子出國旅遊時，可以先開家庭會議，一起決定要造訪的國家和地點。

★決定行程後，給孩子一份功課，請他上網查資料，包括：當地氣候、歷史文化、飲食文化、風景名勝……等等，讓小朋友查詢完畢後，向爸爸媽媽做一個「行前說明」。

★出發前，爸爸媽媽可以爲孩子準備一只屬於他自己的小型行李箱，讓孩子以自己查詢旅遊資訊，將他認爲所需攜帶的物品列出一張清單。再與父母討論是否有不足之處，再依清單一一自行裝箱放置。加深孩子參與感，也是訓練孩子自助旅行的第一步。

★爲孩子準備一部他個人可以使用的相機，讓孩子在旅行中記錄下他所見到的事物。回家後幫忙做一份剪報檔，留作紀念。

丹麥著名的「安徒生童話」作家，漢斯・克里斯蒂安・安徒生(Hans Christian

Andersen，1805年4月2日—1875年8月4日）說：「旅行對我來說，是恢復青春活力的源泉。」

不知道是誰說的，但卻是對旅行非常好的註解：「旅行不會改變世界，只會改變你看世界的眼睛。」

香港著名的專欄作家陶傑說：「旅行可以令你改變人生觀，開拓心胸擴寬視野，令你確信在人類幾千年的蠻荒之中，好多人曾經好似你一樣努力尋找光明與希望。」

貼心的叮嚀

我們可以從閱讀好書中，得到許多知識，可是卻需要行萬里路，才有機會真正體驗增廣見聞。家長們如果行有餘力，不妨每年定期設定一週至兩週，全家一起旅遊。目的地不一定是國外，也可以在國內。但重點是，讓孩子們參與規劃，查詢資料。把旅遊目的地的文化背景、鄉土民情、甚至飲食文化，都找出來，並且解說給同行的家人。這是非常好的親子旅遊，也是孩子開拓視野最好的方法。

大道理，從小地方做起，不要忽略小地方，小地方正是成龍成鳳，養成鳳凰的關鍵。

國家圖書館出版品預行編目資料

學校沒教的12堂課 / 鄭春悅著
--初版-- 臺北市：博客思出版事業網：2014.10
ISBN：978-986-5789-32-9（平裝）
1.親職教育 2.子女教育
528.2　　103015707

鳳凰養成學系列 1

學校沒教的12堂課

作　　者：鄭春悅
編　　輯：張加君、張文馨
美　　編：諶家玲
封面設計：常茵茵
出 版 者：博客思出版事業網
發　　行：博客思出版事業網
地　　址：台北市中正區重慶南路1段121號8樓之14
電　　話：(02)2331-1675或(02)2331-1691
傳　　真：(02)2382-6225
E—MAIL：books5w@yahoo.com.tw或books5w@gmail.com
網路書店：http://www.bookstv.com.tw 、華文網路書店、三民書局
http://store.pchome.com.tw/yesbooks/
總 經 銷：成信文化事業股份有限公司
劃撥戶名：蘭臺出版社　帳號：18995335
網路書店：博客來網路書店 http://www.books.com.tw
香港代理：香港聯合零售有限公司
地　　址：香港新界大蒲汀麗路36號中華商務印刷大樓
C&C Building, 36,Ting, Lai, Road, Tai,Po, New,Territories
電　　話：(852)2150-2100　傳真：(852)2356-0735
總 經 銷：廈門外圖集團有限公司
地　　址：廈門市湖裡區悅華路8號4樓
電　　話：86-592-2230177　傳 真：86-592-5365089
出版日期：2014年10月 初版
定　　價：新臺幣280元整（平裝）
ISBN：978-986-5789-32-9